[小學生]

晨讀10分鐘

漫畫語文故事集

訊息文本篇【練習本】

作者　曾世杰、陳淑麗、蘇春華、賴琤瑛
漫畫　呂家豪、胡覺隆

目錄

使用說明

　　這是一個「低指導需求」的練習本，大多數孩子打開內容就知道該怎麼做，即使是沒有教學專業的家長或志工，也可以輕易完成指導。讓孩子讀過《漫畫語文故事集》後，可以依據自己的時間和能力安排，挑戰練習本中各種語文技能的練習題，得到最好的學習效果。

　　練習本配合每篇故事，有如下各種類型的練習項目，其設計目的如下：

　　1. 文章結構表：藉由簡單問答幫助孩子發現文章的架構，進而更理解文章內容。

　　2. 朗讀流暢性：這是閱讀理解的最佳預測指標，鼓勵孩子多次計時，看看自己是否能越讀越快。

　　3. 生字習寫：針對常用的同部件字，進行生字的拆解、書寫及造詞填空的練習，同時增加詞彙量。

　　4. 生字賓果：讓孩子在遊戲中再次熟悉目標生字的書寫。

　　5. 語詞學習與複習：以多選一的練習幫助孩子了解詞彙的意義和用法。孩子們最愛的圈詞練習，可以在遊戲氛圍中，增加目標語詞的練習次數。

　　6. 閱讀理解：有三至四個層次不同的提問，可在閱讀文章後檢視自己是否讀懂文章。

　　7. 寫作訓練：搭配文章內容進行修辭、連接詞、標點符號等寫作技巧的練習。

　　8. 故事分享：讓孩子練習把讀完的故事說給同儕或大人聽，以提升口語能力。

　　小叮嚀：練習本一定可以提升孩子的讀寫能力，但請陪伴孩子閱讀的師長們特別注意，實施時千萬「不要打壞閱讀胃口」。可以針對孩子的能力，選擇適當的項目給孩子練習，不一定每一項都要做喔。

文章結構表 ✏

請ㄑㄧㄥˇ依ㄧ照ㄓㄠˋ文ㄨㄣˊ章ㄓㄤ，完ㄨㄢˊ成ㄔㄥˊ下ㄒㄧㄚˋ列ㄌㄧㄝˋ的ㄉㄜ˙文ㄨㄣˊ章ㄓㄤ結ㄐㄧㄝˊ構ㄍㄡˋ表ㄅㄧㄠˇ。

背ㄅㄟˋ景ㄐㄧㄥˇ	麥ㄇㄞˋ克ㄎㄜˋ斯ㄙ是ㄕˋ一ㄧ百ㄅㄞˇ五ㄨˇ十ㄕˊ多ㄉㄨㄛ年ㄋㄧㄢˊ前ㄑㄧㄢˊ，一ㄧ個ㄍㄜˋ德ㄉㄜˊ國ㄍㄨㄛˊ小ㄒㄧㄠˇ鎮ㄓㄣˋ的ㄉㄜ˙小ㄒㄧㄠˇ男ㄋㄢˊ生ㄕㄥ，他ㄊㄚ生ㄕㄥ了ㄌㄜ˙重ㄓㄨㄥˋ病ㄅㄧㄥˋ，在ㄗㄞˋ床ㄔㄨㄤˊ上ㄕㄤˋ斷ㄉㄨㄢˋ氣ㄑㄧˋ。他ㄊㄚ的ㄉㄜ˙父ㄈㄨˋ母ㄇㄨˇ把ㄅㄚˇ他ㄊㄚ葬ㄗㄤˋ在ㄗㄞˋ小ㄒㄧㄠˇ鎮ㄓㄣˋ墓ㄇㄨˋ園ㄩㄢˊ裡ㄌㄧˇ。
起ㄑㄧˇ因ㄧㄣ	引ㄧㄣˇ發ㄈㄚ故ㄍㄨˋ事ㄕˋ的ㄉㄜ˙原ㄩㄢˊ因ㄧㄣ是ㄕˋ什ㄕㄣˊ麼ㄇㄜ˙？ ☐ 1.麥ㄇㄞˋ克ㄎㄜˋ斯ㄙ的ㄉㄜ˙媽ㄇㄚ媽ㄇㄚ˙做ㄗㄨㄛˋ了ㄌㄜ˙惡ㄜˋ夢ㄇㄥˋ。 ☐ 2.麥ㄇㄞˋ克ㄎㄜˋ斯ㄙ的ㄉㄜ˙媽ㄇㄚ媽ㄇㄚ˙被ㄅㄟˋ鬼ㄍㄨㄟˇ壓ㄧㄚ床ㄔㄨㄤˊ。
經ㄐㄧㄥ過ㄍㄨㄛˋ	過ㄍㄨㄛˋ程ㄔㄥˊ發ㄈㄚ生ㄕㄥ哪ㄋㄚˇ些ㄒㄧㄝ事ㄕˋ？請ㄑㄧㄥˇ你ㄋㄧˇ依ㄧ照ㄓㄠˋ發ㄈㄚ生ㄕㄥ的ㄉㄜ˙順ㄕㄨㄣˋ序ㄒㄩˋ，填ㄊㄧㄢˊ入ㄖㄨˋ1、2、3、4、5。 ☐ 麥ㄇㄞˋ克ㄎㄜˋ斯ㄙ父ㄈㄨˋ母ㄇㄨˇ把ㄅㄚˇ他ㄊㄚ從ㄘㄨㄥˊ棺ㄍㄨㄢ材ㄘㄞˊ裡ㄌㄧˇ挖ㄨㄚ出ㄔㄨ來ㄌㄞˊ。 ☐ 當ㄉㄤ天ㄊㄧㄢ晚ㄨㄢˇ上ㄕㄤˋ，媽ㄇㄚ媽ㄇㄚ˙夢ㄇㄥˋ見ㄐㄧㄢˋ麥ㄇㄞˋ克ㄎㄜˋ斯ㄙ在ㄗㄞˋ棺ㄍㄨㄢ材ㄘㄞˊ裡ㄌㄧˇ發ㄈㄚ抖ㄉㄡˇ。 ☐ 第ㄉㄧˋ二ㄦˋ天ㄊㄧㄢ晚ㄨㄢˇ上ㄕㄤˋ，媽ㄇㄚ媽ㄇㄚ˙又ㄧㄡˋ做ㄗㄨㄛˋ相ㄒㄧㄤ同ㄊㄨㄥˊ的ㄉㄜ˙惡ㄜˋ夢ㄇㄥˋ。 ☐ 請ㄑㄧㄥˇ醫ㄧ生ㄕㄥ到ㄉㄠˋ家ㄐㄧㄚ裡ㄌㄧˇ，急ㄐㄧˊ救ㄐㄧㄡˋ後ㄏㄡˋ，麥ㄇㄞˋ克ㄎㄜˋ斯ㄙ醒ㄒㄧㄥˇ了ㄌㄜ˙。 ☐ 第ㄉㄧˋ三ㄙㄢ天ㄊㄧㄢ晚ㄨㄢˇ上ㄕㄤˋ，媽ㄇㄚ媽ㄇㄚ˙夢ㄇㄥˋ見ㄐㄧㄢˋ麥ㄇㄞˋ克ㄎㄜˋ斯ㄙ在ㄗㄞˋ哭ㄎㄨ。
結ㄐㄧㄝˊ果ㄍㄨㄛˇ	結ㄐㄧㄝˊ果ㄍㄨㄛˇ怎ㄗㄣˇ麼ㄇㄜ˙樣ㄧㄤˋ？ ✏麥ㄇㄞˋ克ㄎㄜˋ斯ㄙ還ㄏㄞˊ活ㄏㄨㄛˊ著ㄓㄜ˙，他ㄊㄚ活ㄏㄨㄛˊ到ㄉㄠˋ九ㄐㄧㄡˇ十ㄕˊ三ㄙㄢ歲ㄙㄨㄟˋ，才ㄘㄞˊ真ㄓㄣ正ㄓㄥˋ_____。

母子連心

　　一百五十多年前，在德國的一個小 15
鎮上，有一個叫麥克斯的小男孩生病 31
了。 33

　　他的病情越來越嚴重，連續幾天高 48
燒不退，開始昏迷不醒。去看醫生時， 65
他的媽媽問：「這個病治得好嗎？」「我 83
沒有把握，」醫生搖搖頭說：「他病得太 101
嚴重了。」三天以後，麥克斯在床上斷 118
了氣。麥克斯的父母把他葬在小鎮的墓 135
園裡。 138

　　但是，當天的深夜，麥克斯的媽媽 153
做了一個惡夢，夢見麥克斯在小棺材裡 170
發抖。「啊———」她一聲尖叫後醒來，滿 187
頭冷汗。「沒事，沒事，你只是做了一個 205
惡夢。」她的先生安慰她。第二天的深 222
夜，麥克斯的媽媽又是「啊———」的一聲 239
尖叫醒來，她又做了相同的惡夢。第三 256
天的深夜，麥克斯的媽媽又被惡夢驚 272
醒。這次，她夢見麥克斯在哭。她起床， 290

大聲的告訴丈夫：「快起床，穿衣服，我 308
要去墓園看麥克斯。」 318

　　凌晨四點多，麥克斯的父母匆匆趕 333
到墓園，把麥克斯的小棺材挖出來，並 350
打開棺材。麥克斯看起來是死了，但是， 368
先前 埋葬 他時，他是面朝上 仰躺 著， 384
現在卻是 側躺 著。他們趕快把麥克斯 400
載回家，也把醫生請來。經過 急救 後， 417
麥克斯慢慢的睜開了眼睛，原來他沒有 434
死。一個星期後，他又和鄰居小朋友開 451
心的玩在一起了。 459

　　麥克斯後來長大成人，移民到美 473
國。他活到九十三歲，才真正過世。 489

流暢性訓練 —— 記錄表

請用計時器測量 1 分鐘朗讀的字數，並記錄在表格裡。

第一次讀	第二次讀	第三次讀	第四次讀	第五次讀
字	字	字	字	字

如果你 1 分鐘唸 220 字以上，你超級厲害！

如果你 1 分鐘唸 190 字以內，可以多練習幾次。

生字學習

✏️ 請看「酒」的示範，並練習。

生字		練習	練習	部件組合	造詞（遮住生字寫）
酒 ㄐㄧㄡˇ		酒	酒	氵、酉	酒瓶、酒精
醫 ㄧ					☐院、☐生
醒 ㄒㄧㄥˇ					清☐ㄒㄧㄥˇ、睡☐ㄒㄧㄥˇ
握 ㄨㄛˋ					☐ㄨㄛˋ手、把☐ㄨㄛˋ
搖 ㄧㄠˊ					☐ㄧㄠˊ籃、☐ㄧㄠˊ頭
挖 ㄨㄚ					開☐ㄨㄚ、☐ㄨㄚ土
墓 ㄇㄨˋ					公☐ㄇㄨˋ、☐ㄇㄨˋ園
埋 ㄇㄞˊ					活☐ㄇㄞˊ、☐ㄇㄞˊ藏

生字遊戲──賓果學習單

1. 找個同學跟你一起玩賓果吧！
2. 請在右方表格寫下生字：醫、醒、握、搖、挖、墓、埋。
3. 請你們輪流唸生字，並圈起來。
   ★ 進階玩法：可以將生字造詞。
4. 最先連成三條線的人獲勝！

酒		

語詞學習

✏ 請把適合的語詞填在句子裡。

1. 媽媽正在＿＿＿＿＿跌倒的妹妹。

2. 醫生正在＿＿＿＿＿一名嚴重昏迷的病人。

3. 人過世後會正面朝上，以＿＿＿＿＿的方式被放進棺材裡。

4. 溺水的小明，現在仍躺在床上＿＿＿＿＿。

5. 弟弟想要澈底＿＿＿＿＿自己不好的習慣。

6. 奶奶經常腰痛，只能＿＿＿＿＿睡覺，以免腰部痛得更厲害。

安慰／安心

急救／緊急

仰望／仰躺

昏迷不醒／精神煥發

埋葬／學習

澈底／側躺

✏ 挑戰看看：請把最適合的語詞填在短文裡。

今年夏天氣溫炎熱，在大太陽底下工作的人容

易中暑，產生＿＿＿＿＿＿＿的症狀，嚴重的話可能

鼠目獐頭／滿頭冷汗／面上無光

＿＿＿＿＿＿＿。

昏迷不醒／哀痛欲絕／愛莫能助

若有嘔吐的現象要讓病患＿＿＿＿＿＿＿，並趕快

側躺／側面／側身

撥打119，進行＿＿＿＿＿＿＿，千萬不要一堆人圍在

急速／拯救／急救

周圍＿＿＿＿＿＿＿、關心，因為人多空氣會不流

安全／安慰／安心

通，反而讓病患更加不舒服。

✎ 找一找：請圈出格子內的語詞，並再讀一次語詞後，將橘框內的語詞刪除。

小鎮、仰躺、昏迷不醒、嚴重、驚醒、把握、
高燒不退、匆匆、安慰、埋葬、滿頭冷汗、側躺、
急救。

匆	新	把	仰	埋	因	葬	滿	安	小
即	用	慰	握	迷	匆	躺	頭	把	驚
醒	仰	不	重	昏	匆	重	冷	匆	醒
安	躺	退	急	救	醒	握	汗	燒	大
汗	鎮	醒	嚴	新	小	鎮	躺	安	昏
埋	葬	匆	昏	心	滿	把	又	握	慰
冷	側	頭	燒	迷	驚	高	燒	不	退
感	小	躺	高	即	不	貴	如	退	迷
嚴	重	滿	葬	又	埋	醒	慰	星	埋

請根據文章內容，選出最適合的答案，要讀完每一個選項才能作答喔！

1. （ ）小男孩麥克斯居住在哪一個國家？

　　①美國　　②德國　　③法國　　④英國

2. （ ）麥克斯的媽媽說：「這個病治得好嗎？」她當時的心情如何，為什麼？

　　①擔心，因為她很害怕失去兒子

　　②憤怒，因為醫生很沒用

　　③開心，因為兒子可以移民去美國

　　④擔憂，因為付不起醫藥費

3. （ ）為什麼麥克斯的父母會去墓園救出麥克斯？

　　①麥克斯託夢給他的父母

　　②麥克斯的鄰居發現，告知他的父母

　　③麥克斯的媽媽夢到他在棺材內發抖

　　④醫生來告知麥克斯的父母他沒有死

4. （ ）小男孩麥克斯下葬幾天後被救出來？

　　①當晚　　②兩天　　③三天　　④一個星期

5. （ ）爸媽從哪裡看出麥克斯在棺材內是活著的？

　　①他在棺材裡面哭

　　②他在棺材內發抖

　　③他跟鄰居一起玩

　　④下葬時，他的臉原本朝上，後來卻側躺

小朋友，當我們在寫句子或文章時，一定會用到「標點符號」，它會讓文章更容易被理解喔！

➢ 認識標點符號：

頓號（、）：把同樣類型的字詞分開。

例：我的書包裡有課本、鉛筆盒、水壺和彩色筆。

 寫寫看：請在（ ）中填入最適合的標點符號。（，、。？）

①媽媽的桌子上有梳子（ ）鏡子（ ）化妝水和口紅。

②爺爺帶哥哥（ ）妹妹（ ）弟弟和我，一起去公園玩。

③這件事情是真的嗎（ ）我不相信。

④請問（ ）哥哥真的打破那一套碗盤了嗎（ ）

⑤下課了（ ）大家在玩溜滑梯（ ）盪鞦韆（ ）紅綠燈和鬼抓人，都笑得好開心（ ）

⑥小玉的個性很好，她美麗（ ）善良（ ）聰明又大方，大家都很喜歡她（ ）

故事分享

把這個故事講給其他人聽，並請他們簽名。

聽完故事，你覺得怎麼樣？	請簽名
☑ 很好聽　☐ 還不錯　☐ 聽不懂　☐ 其他	蘇小華
☐ 很好聽　☐ 還不錯　☐ 聽不懂　☐ 其他	
☐ 很好聽　☐ 還不錯　☐ 聽不懂　☐ 其他	

NOTE

NOTE

2 博愛座

文章結構表 ✏

請依照文章，完成下列的文章結構表。

背景	臺北捷運的車廂裡，有設置博愛座。
起因	引發這個故事的原因是什麼？ ☐ 1.年輕人生病。 ☐ 2.大媽要年輕人讓座。
經過	過程發生什麼事？請你依照發生的順序，填入1、2、3。 ☐ 老奶奶不要年輕人讓座，打算自己讓座。 ☐ 年輕人感冒了，沒聽見大媽需要座位，沒有馬上讓座。 ☐ 大媽再次要年輕人讓座，年輕人準備讓座。
結果	結果怎麼樣？ ✏_____（誰？）不好意思要老奶奶讓座，馬上下車。

博愛座

　　臺北捷運的每個車廂裡，都有幾張 14

深藍色的博愛座。博愛座是 優先 給身 31

體不方便和身體不舒服的人坐的。像是 48

老人家、懷孕的婦女、帶小孩的媽媽、身 66

心障礙者和生病的人，都不方便站著， 83

他們可以優先使用博愛座。 95

　　有一天，在下班 尖峰 時間，捷運車 110

廂上擠滿了人。有位高中生坐在博愛座 127

上，戴著口罩，低著頭睡著了，一位大媽 145

上車後，走到高中生面前說：「現在的年 163

輕人都不會讓座了。」尖峰時間，人多吵 181

雜，那個高中生沒聽見大媽的話，繼續 198

睡。接著大媽拉高聲音：「喂，你還在裝 216

睡？年紀輕輕的怎麼就坐在博愛座上？」 234

被叫醒的高中生說：「我感冒了，頭很痛， 253

還有點發燒。」大媽大嚷：「不要再裝了， 272

你爸媽沒教你要有禮貌嗎？快起來！」高 290

中生沒力氣解釋，只好起身，準備讓座 307

給大媽。 311

坐在她隔壁的是一位頭髮斑白的 325

老奶奶，她伸手按住高中生，不讓她站 342

起來。老奶奶說話了：「這位太太，年輕 360

人都說她生病了，你怎麼還 強要 人家 376

的位子？」如果你需要座位，我讓位給 393

你好了。」老奶奶一邊說，一邊站了起 410

來。大媽好 尷尬 ，臉一下子漲紅了，急 427

忙說：「您坐，您坐，我不需要了。」車 445

子一停，大媽立刻一溜煙的下了車。 461

即使 是年輕人，也有生病、疲累， 476

需要博愛座的時候；即使老奶奶頭髮斑 493

白了，也有能夠幫助人的時候。把位子 510

讓給最需要的人，才是 設置 博愛座的 526

用意呀！ 530

流暢性訓練 ── 記錄表

請用計時器測量1分鐘朗讀的字數，並記錄在表格裡。

第一次讀	第二次讀	第三次讀	第四次讀	第五次讀
字	字	字	字	字

 如果你1分鐘唸220字以上，你超級厲害！ 👍

 如果你1分鐘唸190字以內，可以多練習幾次。

生字學習

✏️ 請看「醒ㄒㄧㄥˇ」的示範並練習。

生字		練習	練習	部件組合	造詞（遮住生字寫）
醒	ㄒㄧㄥˇ			酉、星	清醒、睡醒
讓	ㄖㄤˋ				☐ㄖㄤˋ 位、禮 ☐ㄖㄤˋ
嚷	ㄖㄤˇ				大 ☐ㄖㄤˇ、吵 ☐ㄖㄤˇ
體	ㄊㄧˇ				☐ㄊㄧˇ 會、身 ☐ㄊㄧˇ
禮	ㄌㄧˇ				☐ㄌㄧˇ 物、 ☐ㄌㄧˇ 堂
痛	ㄊㄨㄥˋ				病 ☐ㄊㄨㄥˋ、疼 ☐ㄊㄨㄥˋ
疲	ㄆㄧˊ				☐ㄆㄧˊ 倦、 ☐ㄆㄧˊ 累
罩	ㄓㄠˋ				☐ㄓㄠˋ 住、口 ☐ㄓㄠˋ
置	ㄓˋ				位 ☐ㄓˋ、 ☐ㄓˋ 放

 生字遊戲 —— 連連看

1. 找個同學跟你一起玩賓果吧！
2. 請在右方表格寫下生字：讓、嚷、體、禮、痛、疲、罩、置、病。
3. 請你們輪流唸生字並圈起來。
4. 最先連成三條線的人獲勝！

語詞學習

✏️ 請把適合的語詞填在句子裡。

1. 小明上臺演講時，不小心跌倒，讓他覺得好＿＿＿＿＿。　｜尷尬／為難｜

2. 汽車要＿＿＿＿＿禮讓行人通行。　｜優先／尖峰｜

3. ＿＿＿＿＿學英語並不容易，他仍然沒有放棄，每天都努力的學習。　｜因為／即使｜

4. 上下班時間，通常是交通的＿＿＿＿＿時刻。　｜尖銳／尖峰｜

5. 許多公共場所在地板＿＿＿＿＿黃色的導盲磚，是為了讓盲人能安全的行走。　｜設置／放下｜

✏️ 挑戰看看：請把最適合的語詞填在短文裡。

交通局在馬路上＿＿＿＿＿了許多紅綠燈，是為了讓
｜放置／放下／設置｜
交通能更順暢且安全。

但是＿＿＿＿＿設置了紅綠燈，有一些民眾依然不遵守
｜因為／由於／即使｜
交通規則，這讓用路人覺得危險，尤其是在交通

的＿＿＿＿＿時間。
｜尖銳／尖峰／頂尖｜
為了加強用路安全，政府決定＿＿＿＿＿取締這些違
｜優先／先前／前面｜
反交通規則的人。

找一找：請圈出格子內的語詞，並再讀一次語詞後，將橘框內的語詞刪除。

車廂、嚴重、急救、高燒不退、安慰、尖峰、尷尬、昏迷不醒、即使、設置、頭髮斑白、漲紅、把握、一溜煙、博愛座

安	傳	尷	尬	日	一	傳	車	尖	漲
慰	頭	只	尖	設	溜	高	燒	不	退
夜	髮	置	急	閃	煙	峰	先	一	白
繼	斑	一	即	救	髮	昏	月	即	斑
人	白	煙	設	置	頭	迷	夜	溜	使
引	車	廂	使	爍	只	不	即	嚴	煙
目	尷	紅	愛	漲	繼	醒	先	重	髮
說	先	尖	以	錯	紅	尬	座	優	頭
把	握	傳	峰	斑	一	博	愛	座	博

閱讀理解

✏️ 請根據文章內容選出最適合的答案， 要讀完每一個選項才能作答喔。

1. (　　) 根據文章，為什麼年輕人要戴口罩上捷運？
①因為她怕冷
②因為她不想被別人認出來
③因為她身體不舒服
④因為戴口罩看起來比較酷

2. (　　) 根據文章，為什麼年輕人一開始沒有聽見大媽在叫他？
①因為捷運人多吵雜
②因為她假裝沒聽見
③因為她身體不舒服
④因為她在聽音樂

3. (　　) 根據文章，為什麼大媽覺得尷尬？
①因為她找不到位子坐
②因為她被老奶奶訓話
③因為她沒帶錢就上車
④因為她在車上睡著了

4.(　　)根據文章內容，你覺得老奶奶是怎樣的人？以下選項，哪一個是「錯」的？

①老人，因為她頭髮斑白了

②願意付出，因為她想讓位給大媽坐

③有正義感，因為她幫年輕人講話

④有智慧，因為她透過讓位，讓大媽覺得尷尬

詞彙大拼盤

慢慢的、嚴重、安慰、睜開、埋葬、立刻、頭髮斑白、一溜煙、繼續、尖峰、尷尬、大嚷、疲累、吵雜、設置

✎ 請依照詞彙的特性，將上列的語詞寫於適當的分類中。

1. 時間副詞：

慢慢的、＿＿＿＿＿＿＿＿＿＿＿＿＿＿＿＿＿（提示：有三個）

2. 形容詞：

嚴重、＿＿＿＿＿＿＿＿＿＿＿＿＿＿＿＿＿（提示：有五個）

3. 動作詞：

安慰、＿＿＿＿＿＿＿＿＿＿＿＿＿＿＿＿＿（提示：有四個）

故ㄍㄨˋ事ㄕˋ分ㄈㄣ享ㄒㄧㄤˇ

把ㄅㄚˇ這ㄓㄜˋ個ㄍㄜˋ故ㄍㄨˋ事ㄕˋ跟ㄍㄣ其ㄑㄧˊ他ㄊㄚ人ㄖㄣˊ分ㄈㄣ享ㄒㄧㄤˇ，並ㄅㄧㄥˋ請ㄑㄧㄥˇ他ㄊㄚ們ㄇㄣ簽ㄑㄧㄢ名ㄇㄧㄥˊ。

聽ㄊㄧㄥ完ㄨㄢˊ故ㄍㄨˋ事ㄕˋ，你ㄋㄧˇ覺ㄐㄩㄝˊ得ㄉㄜ怎ㄗㄣˇ麼ㄇㄜ樣ㄧㄤˋ？	請ㄑㄧㄥˇ簽ㄑㄧㄢ名ㄇㄧㄥˊ
☑很ㄏㄣˇ好ㄏㄠˇ聽ㄊㄧㄥ □ 還ㄏㄞˊ不ㄅㄨˋ錯ㄘㄨㄛˋ □ 聽ㄊㄧㄥ不ㄅㄨˋ懂ㄉㄨㄥˇ □ 其ㄑㄧˊ他ㄊㄚ	蘇小華
□ 很ㄏㄣˇ好ㄏㄠˇ聽ㄊㄧㄥ □ 還ㄏㄞˊ不ㄅㄨˋ錯ㄘㄨㄛˋ □ 聽ㄊㄧㄥ不ㄅㄨˋ懂ㄉㄨㄥˇ □ 其ㄑㄧˊ他ㄊㄚ	
□ 很ㄏㄣˇ好ㄏㄠˇ聽ㄊㄧㄥ □ 還ㄏㄞˊ不ㄅㄨˋ錯ㄘㄨㄛˋ □ 聽ㄊㄧㄥ不ㄅㄨˋ懂ㄉㄨㄥˇ □ 其ㄑㄧˊ他ㄊㄚ	

NOTE

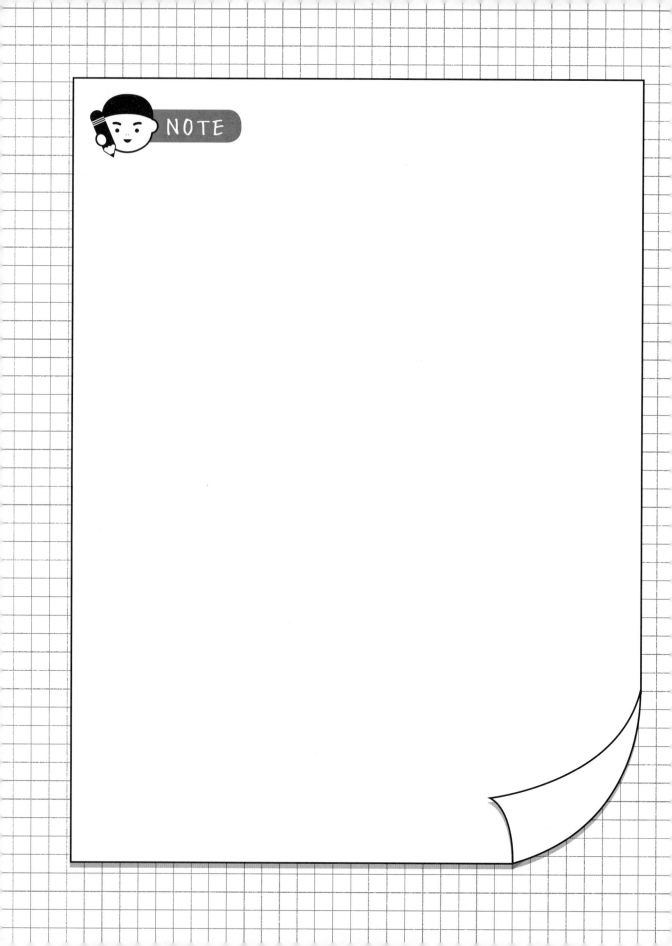

NOTE

③ 快樂兒童餐

文章結構表 ✏

請依照文章，完成下列的文章結構表。

背景	迪士尼樂園是小朋友最想和爸爸、媽媽去的地方，那裡充滿了歡樂與夢幻。 有一對夫婦想點兒童餐，但服務員說不行，所以這對夫婦改點別的餐點。
起因	引發這個問題的原因是什麼？ ☐ 1.這位太太無法點兒童餐。 ☐ 2.這位太太想起過世的女兒。
問題	服務員看到什麼問題？ ☐ 1.大人無法點兒童餐。 ☐ 2.太太一邊用餐卻哭了起來。
解決	服務員如何解決問題，請你依照發生的順序，填入1、2、3。 ☐ 聆聽太太說明來用餐的原因。 ☐ 服務員過去關心這位太太。 ☐ 服務員提供兒童餐、兒童椅、彩色汽球，慶祝小妹妹生日。
結果	結果怎麼樣？ 這位爸爸因為服務員的祝福，感動的掉下了眼淚。
迴響	迪士尼樂園是小朋友最想和爸爸、媽媽一起去的地方，一個充滿歡樂、夢幻與溫馨的地方。

快樂兒童餐

　　迪士尼樂園是小朋友最想和爸爸、　15
媽媽一起去的地方，那裡 充滿 了歡樂　31
與 夢幻 。　35

　　有一天晚上，迪士尼樂園裡的速食　50
餐廳來了一對年輕夫婦。他們對服務員　67
說：「我們要一份快樂兒童餐。」服務員　85
說：「不好意思，我們公司規定只有小　102
孩才能點兒童餐喔！」。那位先生很抱　119
歉的說：「喔！那沒關係，我們點別的好　137
了。」兩夫婦神情有些落寞的拿著餐點，　155
在餐廳的角落坐了下來。　166

　　外面的夜空，正被五光十色的煙火　181
點亮了，充滿著歡樂的氣氛。但這時，　198
太太卻哭了起來，先生 趕緊 把手巾遞　214
過去。服務員看到之後，向前 關心 的詢　231
問：「你們還好嗎？有沒有需要我幫忙　248
的呢？」太太一邊流淚，一邊說：「謝謝　266
你。其實，今天是我女兒三歲的生日。　283
但是，她在兩歲時生了一場大病，病得　300
很重。我們曾經告訴她，等她病好了，　317

就要帶她來迪士尼玩，而且要點快樂兒 334
童餐來慶祝她的三歲生日。但是，她已 351
經到天上去當小天使了。」太太的眼淚 368
又掉了下來。 374

　　服務員點點頭說：「我明白了。」幾 390
分鐘後，服務員回來了，他說：「讓你們 408
久等了，這是給小妹妹的快樂兒童餐。」 426
他接著問：「兒童椅放在爸爸、媽媽中間， 445
可以嗎？」最後，他又在兒童椅上綁了 462
幾個彩色汽球。「祝小妹妹生日快樂！ 479
你們全家都要快樂喔。」這下連先生都 496
掉下了眼淚。 502

　　迪士尼樂園是小朋友最想和爸爸、 517
媽媽一起去的地方，一個充滿歡樂、夢 534
幻與溫馨的地方。 542

 流暢性訓練 — 記錄表

請用計時器測量1分鐘朗讀的字數，並記錄在表格裡

第一次讀	第二次讀	第三次讀	第四次讀	第五次讀
字	字	字	字	字

如果你1分鐘唸220字以上，你超級厲害！

如果你1分鐘唸190字以內，可以多練習幾次。

生字學習

請看「飯」的示範並練習。

生字	練習	練習	部件組合	造詞（遮住生字寫）
飯 ㄈㄢˋ			食、反	吃飯、盛飯
食 ㄕˊ				美 □ ㄕˊ、飲 □ ㄕˊ
餐 ㄘㄢ				點 □ ㄘㄢ、□ ㄘㄢ 廳
童 ㄊㄨㄥˊ				□ ㄊㄨㄥˊ 星、兒 □ ㄊㄨㄥˊ
鐘 ㄓㄨㄥ				時 □ ㄓㄨㄥ、鬧 □ ㄓㄨㄥ
哭 ㄎㄨ				痛 □ ㄎㄨ、□ ㄎㄨ 泣
淚 ㄌㄟˋ				眼 □ ㄌㄟˋ、□ ㄌㄟˋ 水
歉 ㄑㄧㄢˋ				道 □ ㄑㄧㄢˋ、抱 □ ㄑㄧㄢˋ
歡 ㄏㄨㄢ				喜 □ ㄏㄨㄢ、□ ㄏㄨㄢ 笑

生字遊戲——賓果學習單

1. 找一個同學跟你一起玩賓果吧！
2. 請在右方表格寫下生字：食、餐、童、鐘、哭、淚、歉、歡。
3. 請你們輪流唸生字並圈起來。
   ★ 進階玩法：可以將生字造詞。
4. 最先連成三條線的人獲勝！

		飯

✏️ 請把適合的語詞填在句子裡。

1. 這支球隊幾乎每次比賽都獲得勝利，大家都稱這支球隊為＿＿＿＿＿＿球隊。

做夢／夢幻

2. 他常常看奇幻小說，腦中＿＿＿＿＿＿天馬行空的幻想。

充滿／充足

3. 他昨天下課回家時，不幸被車撞，但身體＿＿＿＿＿＿輕微擦傷，真是不幸中的大幸！

只有／只好

4. 他是個自私的人，只關注自己的事情，對他人卻漠不＿＿＿＿＿＿。

細心／關心

5. 搭車的時間快到了，我們＿＿＿＿＿＿上車。

靈機一動／趕緊

✏️ 挑戰看看：請把最適合的語詞填在短文裡。

桃園市有一間輪胎工廠發生火警，天空＿＿＿＿＿＿著黑

充滿／充分／關心

色濃煙，民眾發現時，火勢＿＿＿＿＿＿＿＿蔓延開來，

充滿／經過／已經

消防局＿＿＿＿＿＿＿＿來滅火並疏散附近民眾。

緊張／趕緊／只有

幸好無人員傷亡，＿＿＿＿＿＿＿＿工廠和鄰近房屋毀

只有／幸好／還有

損。政府十分＿＿＿＿＿＿＿＿這場大火肇事原因，希

小心／用心／關心

望能找出預防辦法。

語詞複習

找一找：請圈出格子內的語詞，並再讀一次語詞後，將橘框內的語詞刪除。

快樂、遞過去、歡樂、頭髮斑白、充滿、尷尬、夢幻、只有、尖峰、設置、五光十色、趕緊、溫馨、即使、關心

充	五	夢	疏	遞	尷	緊	溫	馨	於
滿	關	設	置	溫	於	尬	歡	幻	色
馨	難	充	關	滿	五	快	兩	遞	光
趕	去	(快	樂)	退	光	關	進	過	十
溫	緊	只	光	只	十	歡	心	去	退
即	遞	因	馨	有	色	滿	去	有	進
使	十	歡	退	立	終	頭	髮	斑	白
色	散	有	樂	關	只	夢	尖	終	五
夢	幻	過	兩	十	趕	溫	去	峰	充

30

✏️ 請根據文章內容選出最適合的答案。

1. (　　) 迪士尼樂園是一個怎麼樣的地方？
   ①只有小朋友才能去的地方
   ②充滿歡樂與夢幻的地方
   ③只賣兒童餐的地方
   ④讓人傷心想哭的地方

2. (　　) 文章一開始，服務員為什麼不讓這對夫婦點快樂兒童餐？
   ①因為這對夫婦不快樂
   ②因為這對夫婦沒帶足夠的錢
   ③因為兒童餐賣完了
   ④因為兒童餐只有小朋友才能點

3. (　　) 故事中，為什麼太太哭了起來？
   ①因為女兒失蹤了
   ②因為想起過世的女兒
   ③因為不能點兒童餐
   ④因為她很感謝服務員

4. (　　) 故事中，為什麼先生最後也掉下了眼淚？
   ①因為女兒失蹤了
   ②因為女兒生病了
   ③因為要陪太太一起哭
   ④因為他被服務員感動

5. ( ) 你覺得這位速食餐廳的服務員是一個怎樣的人？

①熱情，他帶給年輕夫婦滿滿的歡樂

②開朗，他總是笑口常開

③貼心，他幫助年輕夫婦達成願望

④大方，他不計較要多付出心力和餐費

 寫作訓練——心情溫度計

小朋友，心情好像溫度，有時冷有時熱。想想看在什麼時候，你會有這些感覺。

心情	情境
高興／開心	✏被稱讚的時候。 ✏ ✏ ✏ ✏
生氣	✏打球輸球的時候。 ✏ ✏ ✏ ✏

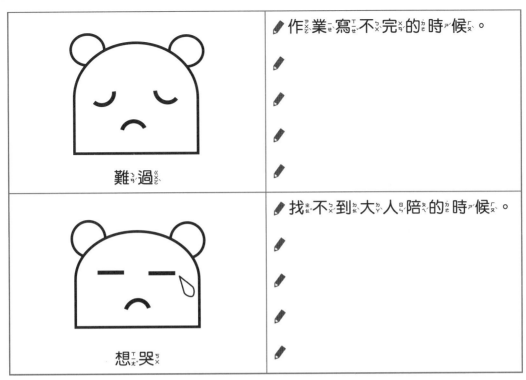

難ㄋㄢˊ過ㄍㄨㄛˋ	✎ 作ㄗㄨㄛˋ業ㄧㄝˋ寫ㄒㄧㄝˇ不ㄅㄨˋ完ㄨㄢˊ的ㄉㄜ˙時ㄕˊ候ㄏㄡˋ。 ✎ ✎ ✎ ✎
想ㄒㄧㄤˇ哭ㄎㄨ	✎ 找ㄓㄠˇ不ㄅㄨˋ到ㄉㄠˋ大ㄉㄚˋ人ㄖㄣˊ陪ㄆㄟˊ的ㄉㄜ˙時ㄕˊ候ㄏㄡˋ。 ✎ ✎ ✎ ✎

說ㄕㄨㄛ說ㄕㄨㄛ看ㄎㄢˋ，你ㄋㄧˇ遇ㄩˋ到ㄉㄠˋ不ㄅㄨˋ開ㄎㄞ心ㄒㄧㄣ的ㄉㄜ˙感ㄍㄢˇ覺ㄐㄩㄝˊ時ㄕˊ，會ㄏㄨㄟˋ怎ㄗㄣˇ麼ㄇㄜ˙做ㄗㄨㄛˋ？

故ㄍㄨˋ事ㄕˋ分ㄈㄣ享ㄒㄧㄤˇ

把ㄅㄚˇ故ㄍㄨˋ事ㄕˋ講ㄐㄧㄤˇ給ㄍㄟˇ其ㄑㄧˊ他ㄊㄚ人ㄖㄣˊ聽ㄊㄧㄥ，並ㄅㄧㄥˋ請ㄑㄧㄥˇ他ㄊㄚ們ㄇㄣ˙簽ㄑㄧㄢ名ㄇㄧㄥˊ。

聽ㄊㄧㄥ完ㄨㄢˊ故ㄍㄨˋ事ㄕˋ，你ㄋㄧˇ覺ㄐㄩㄝˊ得ㄉㄜ˙怎ㄗㄣˇ麼ㄇㄜ˙樣ㄧㄤˋ？	請ㄑㄧㄥˇ簽ㄑㄧㄢ名ㄇㄧㄥˊ
☑很ㄏㄣˇ好ㄏㄠˇ聽ㄊㄧㄥ □ 還ㄏㄞˊ不ㄅㄨˋ錯ㄘㄨㄛˋ □ 聽ㄊㄧㄥ不ㄅㄨˋ懂ㄉㄨㄥˇ □ 其ㄑㄧˊ他ㄊㄚ	蘇小華
□ 很ㄏㄣˇ好ㄏㄠˇ聽ㄊㄧㄥ □ 還ㄏㄞˊ不ㄅㄨˋ錯ㄘㄨㄛˋ □ 聽ㄊㄧㄥ不ㄅㄨˋ懂ㄉㄨㄥˇ □ 其ㄑㄧˊ他ㄊㄚ	
□ 很ㄏㄣˇ好ㄏㄠˇ聽ㄊㄧㄥ □ 還ㄏㄞˊ不ㄅㄨˋ錯ㄘㄨㄛˋ □ 聽ㄊㄧㄥ不ㄅㄨˋ懂ㄉㄨㄥˇ □ 其ㄑㄧˊ他ㄊㄚ	

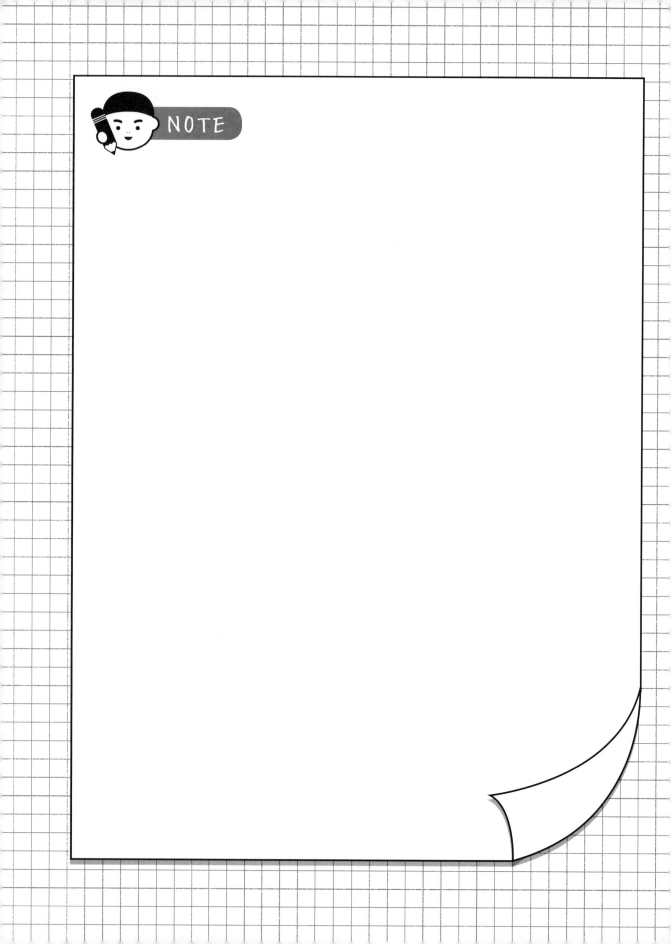

NOTE

4

我比賽就是為了錢

文章結構表 ✏

請依照文章，完成下列的文章結構表。

背景	丘媽是一位體操運動員，曾得過奧運金牌，結婚後退休。
起因	引發邱媽繼續參賽的原因是什麼？ ☐ 1.她的兒子生病，需要錢。 ☐ 2.她的兒子要出國，需要錢。
經過	過程發生哪些事？請你依照發生的順序，填入 1、2、3、4、5、6。 ☐ 她 29 歲，第四次參加奧運，但沒有得獎。 ☐ 她在亞運贏了兩面金牌。 ☐ 她帶兒子搬到德國，接受治療，也接受朋友的捐款。 ☐ 她 37 歲，第六次參加奧運，但沒有得獎。 ☐ 2016 年，她 41 歲，第七次參加奧運，但沒有得獎，是有史以來年紀最大的選手。 ☐ 她 33 歲，第五次參加奧運，贏了一面銀牌。同年，在一項比賽中腳跟腱斷裂。
結果	結果怎麼樣？ 邱媽用獎金治兒子的病。 ✏ 邱媽的兒子_____。

我比賽就是為了錢

　　丘索維提娜（以下簡稱丘媽），是 15
個偉大的體操運動員，同時也是偉大的 32
媽媽。1992 年，丘媽十七歲，第一次參加 52
奧運，就獲得一面金牌。1996 年和 2000 年， 75
丘媽第二次、第三次參加奧運，但都沒 92
有得獎。 96

　　然後她結婚，生下了可愛的兒子阿 111
里夏，一家人非常幸福，她想：「我年紀 129
大，應該退休了。」但好景不常，阿里 146
夏三歲時突然吐血，被醫生檢查出得 162
了白血病。治療這個病要花很多錢，可 179
是丘媽沒有錢。她想：「我要復出比賽， 196
贏了可以拿獎金，有錢，才能給兒子治 213
病。」 217

　　她開始瘋狂訓練，準備復出比賽。 232
2002 年，她在亞洲運動會裡贏了兩面金 251
牌。2003 年，丘媽帶著兒子搬到德國，接 271
受全世界最好的治療。有很多朋友捐款 288
給她，她心裡很感謝。她又陸陸續續贏 305

了許多世界級的比賽。2004 年，丘媽二　324
十九歲，這是她第四次參加奧運，可惜　341
沒有得獎。　346

2008 年，丘媽第五次參加奧運。終　363
於幫德國贏了一面跳馬銀牌，她舉起獎　380
牌，大聲的說：「謝謝德國」。同年十月，　399
丘媽在比賽中腳的跟腱斷裂，大家都認　416
為她再也不能比賽了，但她痊癒後再度　433
復出。丘媽三十七歲時，帶著傷疤，第　450
六次參加奧運，但她這次還是沒有拿到　467
獎牌。有人問她：「你這麼老了，為什麼　485
還不退休？」她說：「我兒子還沒有痊癒，　504
我怎麼敢退休？」　512

2016 年八月，奧運會跳馬體操決賽，　530
全場觀眾的目光都集中在她身上。她奔　547
跑、起跳、身體騰空、旋轉、落地。但沒　565
站穩被扣分，最終只得到第七名。雖然　582
沒有拿到獎牌，但是全場的觀眾仍然　598
給她最熱烈的掌聲和歡呼。這是丘媽第　615
七次參加奧運，她四十一歲，比冠軍選　632
手大了二十二歲。是有史以來年紀最大　649
的體操選手！　655

最高興的是，她的兒子阿里夏已經　670
痊癒，是個十七歲的健康大男生了。　686

流暢性訓練 ── 記錄表

請用計時器測量1分鐘朗讀的字數,並記錄在表格裡。

第一次讀	第二次讀	第三次讀	第四次讀	第五次讀
字	字	字	字	字

如果你1分鐘唸220字以上,你超級厲害!

如果你1分鐘唸190字以內,可以多練習幾次。

 生字學習

✏ 請看「驗」的示範並練習。

生字		練習	練習	部件組合	造詞(遮住生字寫)
驗	一ㄢˋ			馬、僉	實驗、檢驗
檢	ㄐㄧㄢˇ				體□ㄐㄧㄢˇ、□ㄐㄧㄢˇ查
險	ㄒㄧㄢˇ				危□ㄒㄧㄢˇ、保□ㄒㄧㄢˇ
裂	ㄌㄧㄝˋ				□ㄌㄧㄝˋ開、分□ㄌㄧㄝˋ
烈	ㄌㄧㄝˋ				□ㄌㄧㄝˋ火、強□ㄌㄧㄝˋ
瘋	ㄈㄥ				發□ㄈㄥ、□ㄈㄥ狂
療	ㄌㄧㄠˊ				治□ㄌㄧㄠˊ、□ㄌㄧㄠˊ傷
搬	ㄅㄢ				□ㄅㄢ動、□ㄅㄢ家
捐	ㄐㄩㄢ				□ㄐㄩㄢ款、□ㄐㄩㄢ血

生字遊戲 —— 賓果學習單

1. 找個同學跟你一起玩賓果吧！
2. 請在右方表格寫下生字：驗、檢、險、裂、烈、瘋、療、搬、捐。
3. 請你們輪流唸生字並圈起來。
   ★ 進階玩法：可以將生字造詞。
4. 最先連成三條線的人獲勝！

語詞學習

✏️ 請把適合的語詞填在句子裡。

1. 他今天沒來上課，_____是生病了。

   突然／應該

2. _____天空有很多烏雲，但是沒有下雨。

   雖然／仍然

3. 我每天回家會先寫功課，_____再去打球。

   然後／應該

4. 吃完午飯後，我的胃_____一陣劇痛。

   突然／雖然

5. 即使我學習速度慢，我_____沒有放棄學習。

   然後／仍然

挑戰看看：請把最適合的語詞填在短文裡。

2016 年暑假對臺東來說是難忘的一年。

先是尼伯特颱風_____侵襲臺東，_____數個颱
〔然後、然而、突然〕　　　〔然後、後來、當然〕
風接連肆虐臺東，導致災害損失超過二十億。

民眾認為媒體_____要報導臺東的情況，但通訊
〔答應、應該、活該〕
不發達，導致第一時間知道的人很少。

_____那時釋迦沒了，稻田也毀了，大家_____不
〔雖然、仍然、應該〕　　　　　　　　　　　〔雖然、突然、仍然〕
放棄，帶著「天無絕人之路」的心情重建家園。

語詞複習

找一找：請圈出格子內的語詞，並再讀一次語詞
後將橘框內的語詞刪除。

體操、好景不常、歡樂、然後、應該、突然、痊癒、
雖然、仍然、再度復出、充滿、溫馨、傷疤、
復出比賽、訓練。

出	痊	癒	操	練	仍	傷	疤	突	自
應	巴	景	傷	突	精	來	雨	好	傷
該	賽	訓	不	習	然	復	緊	景	雖
體	仍	常	練	應	又	出	感	不	疤
心	然	然	⟨體	操⟩	出	比	即	常	復
即	居	後	好	該	雖	賽	溫	仍	出
神	歡	雖	比	痊	然	自	心	馨	常
充	出	樂	好	訓	練	比	然	後	度
滿	散	度	再	度	復	出	愈	來	常

閱讀理解

✏️ 請根據文章內容選出最好的答案，要讀完每一個選項才能作答喔。

1. （　　）丘媽贏得比賽的獎金要給誰使用？

　　　　①自己　　②丈夫　　③兒子　　④德國

2. (　　)請問故事中的丘媽一共拿到幾面金牌？

　　①還沒拿到　②3面　③7面　④文章沒說。

3. (　　)請問丘媽總共參加幾次奧運？

　　①5次　②7次　③9次　④文章沒說。

4. (　　)哪一個是丘媽沒得獎，觀眾仍給她最熱烈的掌聲和歡呼的原因？

　　①因為她比賽賺了很多錢

　　②因為她為了兒子，年紀大了，還參加比賽

　　③因為她兒子生病了

　　④因為她受傷了

5. 想一想，丘媽還會繼續參賽下一屆的奧運嗎？

我覺得她（會／不會）繼續參加奧運，

請圈其中一個選項

因為＿＿＿＿＿＿＿＿＿＿＿＿＿＿＿＿＿＿＿＿＿＿＿＿。

6. 你覺得丘媽是一位怎麼樣的媽媽，請根據文章內容說出理由。

我覺得她是一位＿＿＿＿＿＿＿＿＿＿的媽媽，

請填特質詞

因為：＿＿＿＿＿＿＿＿＿＿＿＿。

❖ 特質詞參考：偉大、努力不懈、永不放棄、樂觀

句句有型——連接詞「只要…，就…」

 小朋友，我們今天要學「只要…，就…」的連接詞，當你讀懂連接詞，更能看懂句子喔！

丘媽想：「只要贏得比賽的獎金，就能給兒子治病。」

↑ 前提（達成的事、物）　　　　↑ 會發生的結果

1. 請將「只要…，就…」填進句子裡。

（　　　　）走進森林裡，（　　　　）能聽見蟲鳴鳥叫。

2. 請連連看。

只要開心、有禮貌　　•　　　•　就可以把鋼琴彈好

只要認真上課　　　　•　　　•　就會到處受歡迎

只要多加練習　　　　•　　　•　就能聽懂課文重點

3. 將以下兩個句子用「只要…，就…」連結起來。

①一定可以成功

②繼續努力

✎ _____

★ 寫完句子，記得檢查有沒有寫標點符號。

43

故事分享

把這個故事講給其他人聽，並請他們簽名。

聽完故事，你覺得怎麼樣？	請簽名
☑ 很好聽　□ 還不錯　□ 聽不懂　□ 其他	蘇小華
□ 很好聽　□ 還不錯　□ 聽不懂　□ 其他	
□ 很好聽　□ 還不錯　□ 聽不懂　□ 其他	

NOTE

5 互助合作的海豚

文章結構表 ✏

請依照文章的內容，完成下列的文章結構表，
每個框框只有一個正確答案喔。

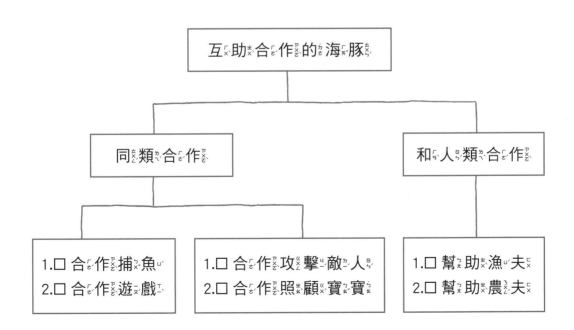

互助合作的海豚

　　海豚過著群體生活，既聰明又懂 14

得分工合作。有時是三、四隻的小群， 31

有時是數十隻甚至上百隻的大群體。有 48

些海豚為了覓食，會組成覓食團體。 64

牠們會集體行動，設下陷阱捕食魚群。 81

　　首先，一隻海豚會在淺灘邊游邊用 96

尾鰭拍打，揚起水中的沙塵。接下來， 113

沙塵圍成的圓圈就像一張大漁網，將魚 130

群團團圍住。這時，在混濁的海水中， 147

魚群已經失去方向，紛紛躍出水面。最 164

後，海豚只要張開大嘴就能吃到新鮮美 181

味的魚了！ 186

　　海豚不只與同伴合作捕魚，牠們甚 201

至也與人類合夥捕魚呢！ 212

　　在巴西拉古納市，就有一群數量約 227

五十隻的瓶鼻海豚，幾年來不間斷的幫 244

助當地漁夫捕魚。這群海豚會先將魚群 261

從大海趕到岸邊，接著，每一隻海豚都 278

擺動頭尾，魚群受到驚嚇，便此起彼落 295

的跳出水面。在岸邊等待的漁夫們，紛 　　312
紛撒網捕魚。 　　318

　　漁夫一次可以捕獲四、五十斤的 　　332
魚，有時數量可達八十幾條呢。這群野 　　349
生的瓶鼻海豚和當地的漁夫們成了好 　　365
朋友。 　　368

　　海豚群體生活的好處不只是覓食， 　　383
也能保護自己不受攻擊。海豚媽媽們也 　　400
會互相照顧寶寶，一起養育下一代。在 　　417
遷徙的季節，數以千計的海豚成群結 　　433
隊越過大洋，景象十分壯觀。懂得互助 　　450
合作的海豚是不是很聰明啊？ 　　463

 流暢性訓練 —— 記錄表

請用計時器測量1分鐘朗讀的字數，並記錄在表格裡。

第一次讀	第二次讀	第三次讀	第四次讀	第五次讀
字	字	字	字	字

如果你1分鐘唸220字以上，你超級厲害！

如果你1分鐘唸190字以內，可以多練習幾次。

生字學習

 請看「裂」的示範並練習。

生字		練習	練習	部件組合	造詞（遮住生字寫）
裂 ㄌㄧㄝˋ				列、衣	破裂、裂開
覓 ㄇㄧˋ					尋□、□食
觀 ㄍㄨㄢ					□光、□察
網 ㄨㄤˇ					□路、魚□
納 ㄋㄚˋ					接□、容□
混 ㄏㄨㄣˋ					□亂、鬼□
濁 ㄓㄨㄛˊ					汙□、混□
獲 ㄏㄨㄛˋ					□得、捕□
護 ㄏㄨˋ					保□、守□

生字遊戲——賓果學習單

1. 找個同學跟你一起玩賓果吧！

2. 請在右方表格寫下生字：覓、觀、網、納、混、濁、獲、護。

3. 請你們輪流唸生字並圈起來。

★ 進階玩法：可以將生字造詞。

4. 最先連成三條線的人獲勝！

		裂

語詞學習

✏️ 請把適合的語詞填在句子裡。

1. 社會是一個_____，需要大家共同
   努力維護其中的和諧。

   群體／大體

2. 過年大掃除時，_____進行會比
   自己單打獨鬥來得更快完成。

   分工合作／
   分門別類

3. 到國家公園遊玩時，記得勿隨意餵
   食，以免改變野生動物的
   _____習慣。

   覓食／尋覓

4. 陳叔叔是爸爸生意上的_____人，
   他們曾共同度過許多大大小小的
   經營危機。

   合夥／夥伴

5. 中秋節時煙火聲_____，整條街
   道熱鬧無比。

   此起彼落／
   光輝燦爛

6. 非洲動物大_____時，可以看到無
   數的羚羊爭先恐後的渡河。

   遷徙／遷居

7. 幽靜的蝴蝶谷，有著_____的蝴
   蝶正漫天飛舞著，景象令人難忘。

   數以千計／
   不足為奇

8. 下午放學鐘聲一響，同學們
   _____的走出大門口。

   團隊精神／
   成群結隊

挑戰看看：請把最適合的語詞填在短文裡。

社會是一個 _____ ，人類總是 _____ 的一起

群集 ／ 群體 ／ 個體　　離群索居 ／ 成群結隊 ／ 形單影隻

生活，我們使用的各項產品由許多人提供服務

而組成，我們也需要 _____ 才能完成許多重

分工合作 ／ 分門別類 ／ 分身乏術

要建設。

為了降低失敗的風險， _____ 是其中一種方法

合金 ／ 合用 ／ 合夥

更重要的是，當團隊中 _____ 的響起加油聲

此起彼落 ／ 顧此失彼 ／ 諸如此類

時，會令人充滿力量，擁有繼續前進的動力。

 語詞複習

 找一找：請圈出格子內的語詞，並再讀一次語詞
後將橘框內的語詞刪除。

陷阱、數以千計、分工合作、覓食、遞過去、

此起彼落、應該、遷徙、成群結隊、訓練、合夥、

好景不常、傷疤、群體、突然、復出比賽

分	十	隊	應	夥	復	此	起	彼	落
追	工	結	該	體	作	出	遷	驚	群
巷	大	合	起	髒	數	好	比	合	訓
合	夥	已	作	街	以	工	景	賽	練
食	群	陷	阱	成	千	群	體	不	體
體	突	遷	隊	已	計	和	陷	徙	常
遞	然	千	成	群	結	隊	嚴	合	作
過	足	遷	發	數	合	傷	遷	覓	食
去	覓	米	徙	重	分	疤	即	髒	發

閱讀理解

✏️ 請根據文章內容，選出最適合的答案。

1.（ 　 ）請問海豚擁有什麼樣的特性？

①會一起照顧寶寶　②喜歡單獨行動

③不懂得分工合作　④對人類不友善

2.（ 　 ）從那裡知道許多海豚可以一分工合作？

①牠們一起覓食，有的揚沙，有的趕魚

②有時是三、四隻，或是上百隻的大群體

③野生的海豚和漁夫成為好朋友

④遷徙時，成群結隊的越過大洋

3.（　）哪一個「不是」海豚群體生活的好處？

①可以一起覓食

②可以保護自己不被攻擊

③可以互相照顧寶寶

④可以與人類互助合作

4.（　）為什麼海豚只要張開嘴就可以吃到魚？

①因為魚群很笨，會自投羅網

②因為海豚用聲波攻擊魚群

③因為海豚數量太多，魚群心生畏懼

④因為魚群看不到路，又受到驚嚇

5.（　）從「海豚會集體行動，設陷阱捕魚」這句話可以知道，海豚是什麼樣的動物？

①有愛心的動物

②聰明的動物

③強壯的動物

④快樂的動物

句句有型 — 連接詞「既⋯ 又⋯ 」

小朋友，我們今天要學「既⋯，又⋯」的連接詞，當你讀懂連接詞，更能看懂句子喔！

海豚過著群體生活，既聰明又懂得分工合作。

↑表示同時發生或兩種特性的兩件事

1. 請將「既⋯，又⋯」填進句子裡，然後自己唸一次。

服務生（   ）親切，（   ）細心。

2. 請勾選最適合的答案，完成句子。

同等的一件事	類似的另一件事
①妹妹既膽小，	☐ 又愛哭。 ☐ 又勇敢。
②男明星既高大，	☐ 又小器。 ☐ 又帥氣。
③狐狸既狡猾，	☐ 又大方。 ☐ 又貪心。
④室外既昏暗，	☐ 又危險。 ☐ 又安全。

53

⑤滑雪既好玩，　　　　　☐ 又刺激。

　　　　　　　　　　　☐ 又無聊。

3.將以下兩個句子用「既…，又…」連結起來。

①女演員很美麗

②女演員很有氣質

✎ ＿＿＿＿＿＿＿＿＿＿＿＿＿＿＿＿＿＿＿＿

故事分享

把這個故事講給其他人聽，並請他們簽名。

聽完故事，你覺得怎麼樣？	請簽名
☑很好聽 ☐還不錯 ☐聽不懂 ☐其他	蘇小華
☐很好聽 ☐還不錯 ☐聽不懂 ☐其他	
☐很好聽 ☐還不錯 ☐聽不懂 ☐其他	

寶特瓶做的衣服

文章結構表 ✏

請依照文章，完成下列的文章結構表。

寶特瓶回收歷程	以下是寶特瓶的回收歷程，請依序填上1、2、3、4。 □ 壓扁 □ 切成小碎片 □ 去除：瓶蓋、瓶環、瓶身包裝紙 □ 按顏色分類
↓ 再利用	寶特瓶回收後可以再製成什麼東西？ ✏ ＿＿＿＿＿ 和 ＿＿＿＿＿。

寶特瓶做的衣服

　　你喝完飲料，裝飲料的寶特瓶可以回收，再利用。這麼做能解決一個很大的環保問題。

　　臺灣每天使用一百二十三萬支寶特瓶。每年會回收九萬公噸寶特瓶。如果把這些寶特瓶堆起來，體積可以堆滿三座101大樓。想像一下，這麼多寶特瓶丟進海裡，漂亮的大海就變成了……「那麼，該怎麼處理這些使用過的寶特瓶呢？」很簡單，把它丟進回收桶就行了。

　　被回收的寶特瓶會被送到回收廠，並去除瓶蓋、瓶環及瓶身包裝紙。接著瓶身會被壓扁，並依照原來的顏色進行分類。再來寶特瓶會被切成一公分左右的小碎片，這些小碎片經過清洗後，會變回小小的、和白米差不多大小的原料顆粒。原料顆粒加熱後會變軟，可以再次做成新的寶特瓶。不過，回收的寶特

15
32
38
52
69
85
104
121
138
155
157
172
189
206
223
240
257
274
291

56

瓶不僅能夠再次做成寶特瓶，還有其他 308
的 用途 喔！ 313

　　你知道嗎？寶特瓶和衣服的成分幾 328
乎是一樣的！原料顆粒可以被拉成又細 345
又長的 紗線 ，就像蠶寶寶吐出來的絲。 362
這些紗線經過 紡織 後變成一塊塊 柔軟 378
的 布料。平均約八支寶特瓶可以製作成 395
一件運動上衣。2014年的世界盃足球賽， 415
就有十個球隊穿著寶特瓶再製的球衣 431
上場踢球，而且每一件都是臺灣製的 447
　 449
喔！

　　想不到寶特瓶的命運差這麼多，亂 464
丟是 垃圾 ，回收後卻能變成實用的衣 480
服。 482

流暢性訓練 — 記錄表

請用計時器測量1分鐘朗讀的字數，並記錄在表格裡。

第一次讀	第二次讀	第三次讀	第四次讀	第五次讀
字	字	字	字	字

如果你1分鐘唸220字以上，你超級厲害！

如果你1分鐘唸190字以內，可以多練習幾次。

✏️ 請ㄑㄧㄥˇ看ㄎㄢˋ「護ㄏㄨˋ」的ㄉㄜ˙示ㄕˋ範ㄈㄢˋ並ㄅㄧㄥˋ練ㄌㄧㄢˋ習ㄒㄧˊ。

生字		練習	練習	部件組合	造詞（遮住生字寫）
護	ㄏㄨˋ			言、艹、隻	保護、守護
環	ㄏㄨㄢˊ				循 ⬚ ㄏㄨㄢˊ 、 ⬚ ㄏㄨㄢˊ 境
還	ㄏㄞˊ				⬚ ㄏㄞˊ 是、 ⬚ ㄏㄞˊ 有
粒	ㄌㄧˋ				米 ⬚ ㄌㄧˋ 、顆 ⬚ ㄌㄧˋ
料	ㄌㄧㄠˋ				⬚ ㄌㄧㄠˋ 理、顏 ⬚ ㄌㄧㄠˋ
紗	ㄕㄚ				⬚ ㄕㄚ 線、 ⬚ ㄕㄚ 布
絲	ㄙ				⬚ ㄙ 綢、 ⬚ ㄙ 巾
織	ㄓ				紡 ⬚ ㄓ 、組 ⬚ ㄓ
約	ㄩㄝ				⬚ ㄩㄝ 定、解 ⬚ ㄩㄝ

 生ㄕㄥ字ㄗˋ遊ㄧㄡˊ戲ㄒㄧˋ —— 賓ㄅㄧㄣ果ㄍㄨㄛˇ學ㄒㄩㄝ習ㄒㄧˊ單ㄉㄢ

1. 找ㄓㄠˇ個ㄍㄜˋ同ㄊㄨㄥˊ學ㄒㄩㄝ跟ㄍㄣ你ㄋㄧˇ一ㄧˋ起ㄑㄧˇ玩ㄨㄢˊ賓ㄅㄧㄣ果ㄍㄨㄛˇ吧ㄅㄚ˙！

2. 請ㄑㄧㄥˇ在ㄗㄞˋ右ㄧㄡˋ方ㄈㄤ表ㄅㄧㄠˇ格ㄍㄜˊ寫ㄒㄧㄝˇ下ㄒㄧㄚˋ生ㄕㄥ字ㄗˋ：環ㄏㄨㄢˊ、還ㄏㄞˊ、粒ㄌㄧˋ、料ㄌㄧㄠˋ、紗ㄕㄚ、絲ㄙ、織ㄓ、約ㄩㄝ。

3. 請ㄑㄧㄥˇ你ㄋㄧˇ們ㄇㄣ˙輪ㄌㄨㄣˊ流ㄌㄧㄡˊ唸ㄋㄧㄢˋ生ㄕㄥ字ㄗˋ並ㄅㄧㄥˋ圈ㄑㄩㄢ起ㄑㄧˇ來ㄌㄞˊ。

★ 進ㄐㄧㄣˋ階ㄐㄧㄝ玩ㄨㄢˊ法ㄈㄚˇ：可ㄎㄜˇ以ㄧˇ將ㄐㄧㄤ生ㄕㄥ字ㄗˋ造ㄗㄠˋ詞ㄘˊ。

4. 最ㄗㄨㄟˋ先ㄒㄧㄢ連ㄌㄧㄢˊ成ㄔㄥˊ三ㄙㄢ條ㄊㄧㄠˊ線ㄒㄧㄢˋ的ㄉㄜ˙人ㄖㄣˊ獲ㄏㄨㄛˋ勝ㄕㄥˋ！

護		

58

✏️ 請把適合的語詞填在句子裡。

1. 將寶特瓶壓扁減少＿＿＿＿＿，目的是增加回收箱可容納的數量。

　　體重／體積

2. 每個人在活動結束後都要幫忙清理自己製造的＿＿＿＿＿。

　　餐具／垃圾

3. 媽媽用小蘇打粉＿＿＿＿＿廚房油膩膩的汙漬。

　　去除／解開

4. 學校舉行回收資源＿＿＿＿＿大賽，以保護我們的環境。

　　分開／分類

5. 生理食鹽水的＿＿＿＿＿是清理傷口的髒汙。

　　路途／用途

6. 這條圍巾是用了許多藍色的＿＿＿＿＿製作的。

　　細沙／紗線

7. 織女的專長是將一條條的線＿＿＿＿＿成漂亮的布。

　　紡織／纖維

8. 表姐喜歡在冬天穿著＿＿＿＿＿＿羊毛衣，讓她感覺很溫暖。

　　柔軟的／溫柔的

挑戰看看：請把最適合的語詞填在短文裡。

現在學校都會叫我們要做好垃圾＿＿＿＿＿＿＿，除了

分類 ／ 平分 ／ 分享

一般＿＿＿＿＿＿＿，我們會將可回收的物品做處理後

回收 ／ 民眾 ／ 垃圾

再進行分類。像是＿＿＿＿＿＿較大的寶特瓶，我們會

體積 ／ 重量 ／ 盡善盡美

先＿＿＿＿＿＿上面的瓶蓋，將瓶身壓扁後再進行回

清洗 ／ 去除 ／ 清潔

收。

 語詞複習

 找一找：請圈出格子內的語詞，並再讀一次語詞後將橘框內的語詞刪除。

回收、垃圾、用途、去除、保存、分類、紗線、紡織、

體積、分工合作、群體、柔軟的、遷徙、覓食、

一溜煙、成群結隊。

遷	一	體	積	製	種	一	溜	煙	去
徙	保	分	基	毛	群	的	複	保	類
收	因	紡	類	模	絕	體	垃	存	又
垃	心	柔	用	回	收	淋	的	去	保
圾	成	物	樣	織	分	夥	柔	軟	的
的	又	群	紗	線	工	用	種	體	心
覓	食	動	結	紗	合	垃	途	類	製
轉	另	線	象	隊	作	存	除	紡	夥
軟	去	除	回	線	物	次	分	織	津

(中間「回收」二字圈起)

閱讀理解

請根據文章內容，選出最適合的答案。

1.（　）解決寶特瓶垃圾問題最好的方法是什麼？

    ① 燃燒　　② 掩埋

    ③ 回收　　④ 放水流

2. (　　) 請問課文中寶特瓶的回收處理程序是？
①去除包裝、壓扁、分類、切割、清洗
②壓扁、去除包裝、分類、清洗、切割
③去除切割、壓扁、分類、清洗、包裝
④分類、去除切割、壓扁、清洗、包裝

3. (　　) 回收的寶特瓶「不能」做成？
①衣服　　　②新的寶特瓶
③運動褲　　④紙

4. (　　) 底下選項何者最能說明這篇文章的主旨？
①人們每年用掉許多寶特瓶
②回收寶特瓶可以製成衣服
③如何鼓勵人們回收寶特瓶
④寶特瓶和蠶寶寶一樣厲害

5. (　　) 第二段寫道：「這麼多寶特瓶丟進海裡，漂亮的大海就變成＿＿＿＿＿」，請問空格裡可以填入什麼？
①垃圾場　　②回收場
③墳場　　　④運動場

6. (　　) 你覺得什麼會影響寶特瓶的命運？
①回收工廠的技術
②寶特瓶的顏色
③人類是否將它回收
④寶特瓶的價錢

寫作訓練──我會用標點符號

小朋友，當我們在寫句子或文章時，一定會用到「標點符號」，它會讓文章更容易理解喔！

➤ 認識標點符號：

1. 冒號（：）：主角要說話，或要舉例說明時，就會用到冒號，例如：

①夏季的水果有：西瓜、鳳梨、荔枝、芒果。

②小明說：「祝你新年快樂！」

2. 引號（「」）：標示說話、引語、特別指稱或強調的詞語。放在要表示文句的前面和後面。例如：

①媽媽說：「要早睡早起。」

②「雲林」是我的故鄉。

寫寫看：請在（　　）中填入最適合的標點符號。

① 我喜歡打球，像是（　　）桌球、籃球、躲避球和足球。

② 孔子說（　　）（　　）己所不欲，勿施於人（　　）意思就是，你不想要別人這樣對你，你也不要這樣對待別人。

③ 大家都說（　　）（　　）認真的女人，最美麗！（　　）

63

④ 功課不會寫時，有很多解決方法，例如

（　　）問老師、問同學、問家人，還有上網找

資料等等。

故事分享

把這個故事講給其他人聽，並請他們簽名。

聽完故事，你覺得怎麼樣？	請簽名
☑很好聽　□還不錯　□聽不懂　□其他	蘇小華
□很好聽　□還不錯　□聽不懂　□其他	
□很好聽　□還不錯　□聽不懂　□其他	

NOTE

7

鳥兒不怕辣

文章結構表 ✏

請依照文章，完成下列的文章結構表，
每個框框裡不只一個正確答案喔。

```
            鳥兒不怕辣
         ┌──────────┴──────────┐
  哺乳動物吃了會?            鳥類吃了會?
         │                      │
  （複選）                （複選）
  1.□ 嘴裡著火            1.□ 很享受
  2.□ 滿頭大汗            2.□ 拉肚子
  3.□ 很享受              3.□ 幫助傳播種子
  4.□ 嘴唇腫
```

鳥兒不怕辣

你敢吃辣嗎？許多小朋友不敢吃　　14
辣，不小心吃到辣椒，嘴裡就像著了火。　　32
「水！快給我水，我快辣死了！」嚴重時，　　51
嘴唇會腫起來，變成香腸嘴。但有些人　　68
喜歡辣，吃麵時，加點辣椒醬，吃得 滿　　85
頭大汗 ， 好過癮 。但最愛吃辣的人，也　　102
受不了魔鬼辣椒，它比一般辣椒辣上一　　119
千倍。連用手摸，皮膚都會感覺燙燙的，　　137
甚至有疼痛感。　　144

但是，最近有些朋友發現自家的鸚　　159
鵡，居然抓著魔鬼辣椒一口一口吃個不　　176
停。「鸚鵡會不會被辣死？」「咦！難道　　194
牠吃的是不辣的辣椒嗎？」　　206

其實，對鳥類來說，吃辣椒不是問　　221
題。因為鳥類對辣沒有感覺。而且辣椒　　238
有豐富的維生素C，吃辣椒對鳥類的身　　255
體很好。對辣椒本身來說，被鳥兒吃掉　　272
也是好處多多。因為鳥兒無法 消化 辣　　288
椒的種子，會將種子排出體外。當鳥兒　　305

66

吃了辣椒後，到處飛翔 移動 ，並排便， 322
就能順便幫忙散播種子。辣椒種子沒有 339
腳，卻能傳播到世界各地，都要歸功於 356
不怕辣的鳥兒。但是，哺乳類動物，例 373
如人、貓、狗，都對「辣」很 敏感 。科學 391
家認為，辣椒之所以演化成辛辣性植 407
物，就是為了防止被哺乳類動物吃掉。 424
辣椒讓鳥兒 愛不釋手 ，哺乳類動物卻 440
不敢碰它。真是一種 奇妙 的植物！ 455

 流暢性訓練 —— 記錄表

請用計時器測量1分鐘朗讀的字數，並記錄在表格裡。

第一次讀	第二次讀	第三次讀	第四次讀	第五次讀
字	字	字	字	字

 如果你1分鐘唸220字以上，你超級厲害！

 如果你1分鐘唸190字以內，可以多練習幾次。

請看「料」的示範並練習。

生字		練習	練習	部件組合	造詞（遮住生字寫）
料 ㄌㄧㄠˋ				米、斗	材料、顏料
散 ㄙㄢˇ					分 □ ㄙㄢˋ 、 □ ㄙㄢˋ 發
敏 ㄇㄧㄣˇ					過 □ ㄇㄧㄣˇ 、 □ ㄇㄧㄣˇ 銳
順 ㄕㄨㄣˋ					□ ㄕㄨㄣˋ 便、 □ ㄕㄨㄣˋ 利
預 ㄩˋ					□ ㄩˋ 測、干 □ ㄩˋ
類 ㄌㄟˋ					□ ㄌㄟˋ 別、人 □ ㄌㄟˋ
題 ㄊㄧˊ					□ ㄊㄧˊ 目、 □ ㄊㄧˊ 型
移 ㄧˊ					□ ㄧˊ 動、飄 □ ㄧˊ
科 ㄎㄜ					□ ㄎㄜ 學、術 □ ㄎㄜ

 生字遊戲——賓果學習單

1. 找個同學跟你一起玩賓果吧！
2. 請在右方表格寫下生字：散ㄙㄢˇ、敏ㄇㄧㄣˇ、順ㄕㄨㄣˋ、預ㄩˋ、類ㄌㄟˋ、題ㄊㄧˊ、移ㄧˊ、科ㄎㄜ。
3. 請你們輪流唸生字並圈起來。
   ★ 進階玩法：可以將生字造詞。
4. 最先連成三條線的人獲勝！

料		

語詞學習

請把適合的語詞填在句子裡。

1. 在操場裡，許多小朋友都玩得
   ＿＿＿＿＿＿＿，還不想回家。

2. 在寒冷的冬天裡，泡溫泉是件
   ＿＿＿＿＿的事，令人溫暖了起來。

3. 飛機＿＿＿＿＿的速度，比船或是
   火車都要快上許多。

4. 吃完午餐後，半小時內不要激
   烈運動，避免＿＿＿＿＿不良。

5. 小狗的鼻子很＿＿＿＿＿，可以聞
   到遠遠的食物香味。

6. 哥哥的模型玩具，他＿＿＿＿＿＿＿，
   一刻也不願意借我玩。

7. 毛毛蟲長大後變成美麗的蝴
   蝶，真是＿＿＿＿＿啊！

滿頭大汗／
張牙舞爪

傷腦筋／
好過癮

移動／移居

解決／消化

敏感／感動

愛不釋手／
毫不在意

奇妙／妙招

✏️ 挑戰看看：請把最適合的語詞填在短文裡。

阿達非常喜歡跑步，他說每次跑完馬拉松都會

＿＿＿＿＿＿＿＿。這種全身溼透的感覺，讓他覺得

獲得賞識 ／ 真相大白 ／ 滿頭大汗

＿＿＿＿＿＿＿＿，很想一跑再跑。令人好奇的是，阿達在

好過癮 ／ 很厭惡 ／ 鬧哄哄

跑馬拉松前總會先吃一根香蕉。他說香蕉不僅

容易＿＿＿＿＿＿，一根香蕉的熱量，就能讓他跑十

玩耍 ／ 消化 ／ 鬥嘴

公里。你說，這香蕉是不是很＿＿＿＿＿＿呢？

奇妙 ／ 奇怪 ／ 好奇

語詞複習

✏️ 找一找：請圈出格子內的語詞，並再讀一次語詞後將橘框內的語詞刪除。

辣椒、滿頭大汗、敏感、好過癮、分類、飛翔、移動、

種子、消化、體積、奇妙、保存、散播、愛不釋手、

用途、數以千計。

飛	滿	感	食	物	編	好	子	分	翔
和	翔	動	種	子	化	奇	播	類	移
頭	妙	滿	物	清	作	頭	妙	應	飛
起	不	頭	即	嗅	辣	椒	散	過	動
體	椒	大	保	存	動	愛	不	釋	手
徙	積	汗	數	糊	夥	汗	手	敏	清
食	癮	體	心	以	移	大	消	好	感
手	好	過	應	散	千	動	用	傳	頭
愛	辣	化	異	播	應	計	途	消	化

閱讀理解

✎ 請根據文章內容，選出最適合的答案。

1. (　　) 為什麼鸚鵡敢吃辣椒？

①因為鸚鵡吃的是不辣的品種

②因為鸚鵡沒有味覺

③因為鸚鵡感覺不到辣的滋味

④因為鸚鵡的鳥嘴不會腫起來

2. (　　) 下列敘述何者「不是」吃辣椒的反應？
　　　①嘴巴中好像有火焰在燃燒
　　　②渾身出汗，感覺身體發熱
　　　③嘴脣腫起來，變成香腸嘴
　　　④摸起來感覺很清涼、舒服

3. (　　) 請問鳥類吃辣椒有什麼益處？
　　　①辣椒擁有豐富的維生素
　　　②鳥類可以消化辣椒的種子
　　　③辣椒的顏色令鳥類很興奮
　　　④辣椒給鳥類很刺激的體驗

4. (　　) 下列哪一個選項是「錯誤」的？
　　　①辣椒讓鳥類愛不釋手
　　　②辣椒讓哺乳類不敢碰它
　　　③鳥類不敢吃魔鬼辣椒
　　　④被鳥兒吃掉，對辣椒有好處

5. (　　) 為什麼一樣的植物有的動物喜歡，有的害怕？
　　　①因為越鮮豔的代表可能含有劇毒
　　　②因為每種動物的味覺都不相同
　　　③因為哺乳類動物較不需要維生素C
　　　④因為鳥類比較常感冒，需要辣椒治病

神奇化妝術──擬人法

為了讓動植物和事情更生動、吸引人，我們常會用「擬人法」讓它們擁有「像人一樣」的情感、想法或行動喔！來看幾個例子吧！

✏️ 範例：

1. 天空<u>哭了起來</u>，所以地上都溼了。
   　<u>像人一樣的情感</u>

2. <u>群山就像媽媽一樣環抱著我們</u>。
   　　　　　<u>像人一樣的行動</u>

3. <u>松樹說</u>：「謝謝您幫我找到<u>懂得欣賞我</u>的好主
   　<u>像人一樣的行動</u>　　　　　　　<u>像人一樣的想法</u>

   <u>人</u>」。

✏️ 練習一：連連看

擬人法　•

非擬人法　•

• 1. 蝴蝶在天空跳舞的樣子真美麗。

• 2. 你的手冷得像冰塊。

• 3. 這饅頭硬得像石頭。

• 4. 一群小鳥在樹枝上唱歌。

✏️ 練習二：請勾選最適合的答案，完成句子

1. 颱風的 □ 怒吼 　，讓人感到害怕。（像人的行動）
　　　　　 □ 威力

2. 笛子在 □ 響起 　，那聲音好美啊！（像人的行動）
　　　　　 □ 唱歌

故事分享

把這個故事講給其他人聽，並請他們簽名。

聽完故事，你覺得怎麼樣？	請簽名
☑很好聽 □ 還不錯 □ 聽不懂 □ 其他	蘇小華
□ 很好聽 □ 還不錯 □ 聽不懂 □ 其他	
□ 很好聽 □ 還不錯 □ 聽不懂 □ 其他	

8 複製長毛象

文章結構表 ✏

請依照文章，完成下列的文章結構表。

```
          複製長毛象
     ┌──────────┴──────────┐
┌──────────────────┐  ┌──────────────────┐
│ 第2段要複製什麼動物？ │  │ 第3、4段要複製什麼動物？ │
│ 1.□ 已絕種動物      │  │ 1.□ 已絕種動物      │
│ 2.□ 現有動物       │  │ 2.□ 有價值的動物     │
└──────────────────┘  └──────────────────┘
         │                    │
    ┌─────────┐    ┌────────────┐   ┌──────────────┐
    │ 青蛙、貓、 │    │ 冰凍的長    │   │ 是哪一種動物？   │
    │ 狗、羊   │    │ 毛象細胞    │→  │ 1.□ 長毛象      │
    └─────────┘    │   +      │   │ 2.□ 小飛象      │
         │         │ 現代大象   │   │ 3.□ 現代大象     │
         ↓         └────────────┘   └──────────────┘
```

桃莉羊的複製過程？（請依順序填寫1、2、3、4）	文章裡還有哪些絕種動物？（複選）
□ 懷胎五月後，桃莉羊誕生	1.□ 劍齒虎
□ 從黑臉羊取空卵	2.□ 海龜
□ 把桃莉媽媽的細胞核放進空卵	3.□ 長毛犀
□ 把完整的卵放進另一頭黑羊肚子裡	4.□ 恐龍

複製長毛象

　　我們去打鑰匙的時候，老闆會照我　　15
們給的鑰匙，複製另外一把一模一樣　　31
的鑰匙。但你能想像，有的孩子可以長　　48
得跟媽媽完全一樣嗎？就像照鏡子那樣　　65
相像。　　68

　　1997 年，科學家替一頭白臉母羊，　　85
複製了一隻和她一模一樣的小羊，這頭　　102
小羊就是世界知名的桃莉羊。科學家是　　119
怎麼做到的呢？他們先從一頭黑臉母羊　　136
身體裡取出一個卵細胞，再取出細胞　　152
核，這樣就得到一個空的卵。接著把桃　　169
莉媽媽的細胞核，放進這個卵裡，最後，　　187
再把卵放進另一頭黑臉母羊的肚子裡，　　204
懷胎五個月後，就能生出和桃莉媽媽一　　221
模一樣的白臉羊了。科學家也有成功複　　238
製青蛙、貓和狗的經驗。但已經絕種的　　255
動物，科學家還有可能複製嗎？　　269

　　2017 年，在非常寒冷的北極，科學　　286
家挖到一隻兩萬年前死掉的長毛象。　　302

因為那裡太冷了，像是個天然的冰箱，319

所以把這隻長毛象 保存 得很好，從牠 335

身上取出的血和肉都還很新鮮。科學家 352

認為，如果可以把長毛象的細胞核，放 369

進現代大象的卵裡。再把卵放進一隻健 386

康母象的肚子，母象的肚子會越來越 402

大，等到六百六十天後，就可以生出小 419

象了。 422

　　你猜，這頭小象會不會有長長的毛 437

呢？如果生出來的是長毛象，那動物園 454

裡就會有新的 夥伴 加入了。哇！那未來 471

劍齒虎、長毛犀，甚至是恐龍，可能都 488

有希望重現江湖囉！ 497

流暢性訓練 —— 記錄表

請用計時器測量 1 分鐘朗讀的字數，並記錄在表格裡。

第一次讀	第二次讀	第三次讀	第四次讀	第五次讀
字	字	字	字	字

 如果你 1 分鐘唸 220 字以上，你超級厲害！

 如果你 1 分鐘唸 190 字以內，可以多練習幾次。

生字學習

 請看「相」的示範並練習。

生字		練習	練習	部件組合	造詞（遮住生字寫）
相 ㄒㄧㄤ				木、目	相信、互相
想 ㄒㄧㄤˇ					思 □ ㄒㄧㄤˇ 、 □ ㄒㄧㄤˇ 法
箱 ㄒㄧㄤ					裝 □ ㄒㄧㄤ 、 □ ㄒㄧㄤ 子
棒 ㄅㄤ					□ ㄅㄤ 球、棍 □ ㄅㄤ
樣 ㄧㄤ					□ ㄧㄤ 子、取 □ ㄧㄤ
模 ㄇㄛˊ					□ ㄇㄛˊ 型、 □ ㄇㄛˊ 仿
挖 ㄨㄚ					□ ㄨㄚ 開、 □ ㄨㄚ 洞
技 ㄐㄧˋ					科 □ ㄐㄧˋ 、 □ ㄐㄧˋ 巧
掉 ㄉㄧㄠˋ					□ ㄉㄧㄠˋ 落、甩 □ ㄉㄧㄠˋ

 生字遊戲——賓果學習單

1. 找個同學跟你一起玩賓果吧！
2. 請在右方表格寫下生字：想、箱、棒、樣、模、挖、技、掉。
3. 請你們輪流唸生字並圈起來。
   ★ 進階玩法：可以將生字造詞。
4. 最先連成三條線的人獲勝！

相		

✏️ 請把適合的語詞填在句子裡。

1. 每個小朋友，都是獨一無二的人，
   無法被＿＿＿＿＿。

   複雜／複製

2. 我的鉛筆盒中有兩枝＿＿＿＿＿的鉛
   筆，都是我最喜歡的黃色。

   一舉一動／
   一模一樣

3. 爸爸帶我去博物館看已經
   ＿＿＿＿＿所保留下來的化石。

   絕種的動物／
   存活的人類

4. 美勞老師的櫃子＿＿＿＿＿了好多我
   們的繪畫作品。

   保鮮／保存

5. 他是我們玩遊戲的＿＿＿＿＿，幾乎每
   天都一起去公園玩。

   陪伴／夥伴

✏️ 挑戰看看：請把最適合的語詞填在短文裡。

我和姊姊是雙胞胎，我們長得幾乎是＿＿＿＿＿＿，

人模人樣／一模一樣／一心一意

臉上的五官，非常相像，就像是＿＿＿＿＿的一樣。

複製／重複／複習

不僅如此，我們在學習上也有很多共同點，因此

我們成為了學習上的好＿＿＿＿＿，常常相互幫助。

夥伴／同事／兄弟

找一找：請圈出格子內的語詞，並再讀一次語詞後將橘框內的語詞刪除。

細胞、奇妙、複製、種子、絕種的動物、長毛象、夥伴、滿頭大汗、飛翔、移動、一模一樣、散播、保存、消化、敏感。

幻	又	頭	保	複	常	消	化	夥	模
津	複	製	大	存	滿	伴	的	伴	敏
長	另	一	敏	化	長	頭	象	播	存
心	毛	翔	細	妙	毛	滿	大	如	汗
即	胞	象	因	細	胞	機	動	汗	一
絕	種	的	動	物	絕	製	一	計	模
課	大	子	動	其	敏	感	種	已	一
感	奇	夥	保	移	物	心	子	經	樣
消	妙	散	播	種	動	異	散	飛	翔

✎ 請根據文章內容，選出最適合的答案。

1. (　　) 文章中提到：「老闆……，複製另外一把一模一樣的鑰匙」，請問「複製」是什麼意思？

　　①做出很多個物品。

　　②做出和原本物品一模一樣的物品。

　　③做出兩個以上的物品。

　　④第二個物品。

2. (　　) 請問桃莉羊的媽媽是哪一種羊？

　　①黑臉母羊　　②山羊　　③白臉羊　　④綿羊

3. (　　) 根據文章，何者「不是」科學家已經成功複製的動物？

　　①青蛙　　②白臉羊　　③長毛象　　④貓

4. (　　) 科學家是如何複製桃莉羊的？

　　①把黑臉羊的細胞核放進白臉羊的空卵裡，再放進另一頭黑臉羊的肚子裡。

　　②把黑臉羊的細胞核放進白臉羊的空卵裡，再放進另一頭白臉羊的肚子裡。

　　③把白臉羊的細胞核放進黑臉羊的空卵裡，再放進另一頭黑臉羊的肚子裡。

　　④把白臉羊的細胞核放進黑臉羊的空卵裡，再放進另一頭白臉羊的肚子裡。

5. (　　) 「那劍齒虎、長毛犀，甚至是恐龍，可能都有希望重現江湖囉！」從這句話，可以得知以下選項哪一個是正確的？

　　①這些動物可能會在江邊和湖邊出現。

②這些動物現在已經絕種

③這些死去的動物可以透過科技活過來

④這些動物會出現在每一個國家

 句句有型——連接詞「是…，還是…」

 小朋友，我們今天要學「是…，還是…」的選擇連接詞，當你讀懂連接詞，更能看懂句子喔！

你猜，這頭小象是<u>有毛的</u>，←這句是選擇 A。
還是<u>沒毛的</u>？←這句是選擇 B，B 緊接著問號做結尾。

1. 下列哪些句子可以填入「是…，還是…」的連接詞，請打勾。

①（　　）你____哥哥，_____爸爸？

②（　　）你喜歡吃的____西瓜，_____木瓜？

③（　　）你猜，我____姐姐，_____妹妹？

④（　　）你____有心，_____把事情做好。

⑤（　　）你____寫完功課，我們_____出去玩，好嗎？

⑥（　　）我們今天____要打籃球，_____玩躲避球？

2. 請你用「是…，還是…」完成造句。

✏ 這枝筆是你的，還是_____？

✏ 晚上想吃什麼？是＿＿＿＿，還是炒飯？

✏ 明天的天氣是陰天，還是＿＿＿＿？

故事分享

把這個故事講給其他人聽，並請他們簽名。

聽完故事，你覺得怎麼樣？	請簽名
☑很好聽 □還不錯 □聽不懂 □其他	蘇小華
□很好聽 □還不錯 □聽不懂 □其他	
□很好聽 □還不錯 □聽不懂 □其他	

NOTE

NOTE

9 為梨花撐傘

文 章 結 構 表 ✏

請依照文章，完成下列的文章結構表。

背景	宜蘭三星鄉的上將梨甜美多汁，非常受消費者的歡迎。
問題❶	主角遇到什麼問題？ ✏ 梨子元月開花，宜蘭陰雨綿綿。梨花的花瓣、花萼都因淋雨而 _____ ， 結不成 _____ 。
解決❶	這個問題怎麼解決？ ☐ 1.用免洗筷撐著塑膠碗，綁在花上。 ☐ 2.用免洗筷撐著塑膠杯，綁在花上。
結果❶	結果怎麼樣？ ☐ 1.上將梨的收成變好。 ☐ 2.上將梨的收成沒變。
問題❷	一棵梨樹有兩百朵花，用綁的耗時費神，一天只能完成兩棵梨樹，太辛苦了。
解決❷	這個問題怎麼解決？ ☐ 1.直接在樹上放一支透光的大雨傘。 ☐ 2.有人發明用夾的小雨傘。
結果❷	結果怎麼樣？ ✏ 很省 _____ ，還可以用 _____ 年。
結論	現在宜蘭的春天，梨園裡到處都是五顏六色的小雨傘掛在樹上，非常美麗。

為梨花撐傘

　　宜蘭三星鄉的上將梨甜美多汁，非　　15
常受消費者的歡迎。但是，梨子在元月　　32
時開花，此時正是宜蘭陰雨 綿綿 的月　　48
分。有時連下一個月的雨，梨花的花瓣、　　66
花萼都因淋雨而 腐爛 ，結不成果子。　　82

　　有一年元月，又下雨了，梨農翁松　　97
根先生站在雨中看著大片梨園 發愁 。　　113
「再繼續下雨，今年就沒有收成了。怎　　130
樣才能幫花遮雨呢？」翁先生心想。有　　147
天，他吃泡麵時，看到泡麵的塑膠碗，　　164
靈機一動 ：「有了，我來做一個實驗試　　181
試看。」他把空碗倒過來，用免洗筷撐　　198
著，再用膠帶和線把碗固定，綁在一朵　　215
一朵的花上。用來實驗的五棵梨樹上，　　232
每一朵花上都有「雨傘」遮著，不怕淋　　249
雨。結果，那年有遮傘的五棵梨樹，比　　266
沒有遮傘的梨樹收成好很多。這個消息　　283
一傳十、十傳百，「這真是個好主意！」　　301
許多梨農開心的說。　　310

第二年的元月，梨農們都開始用免 325
洗碗幫梨花撐傘，許多梨樹上 滿布 著 341
粉紅色的塑膠碗。這時新的問題來了， 358
小雨傘又要綁線又要纏膠帶，實在太麻 375
煩了。一棵梨樹就有兩百朵花，農民站 392
在梯子上， 耗時 費神，一天只能完成兩 409
棵梨樹，太辛苦了。有人想出了更好的 426
辦法，他們發明有夾子的小雨傘。只要 443
把小雨傘夾在花旁的樹枝上，就可以為 460
梨花遮雨，十分節省人力。為一棵樹撐 477
傘的時間只要四十分鐘，而且一把傘還 494
可以用五年。 500

　　現在宜蘭的春天，梨園裡到處都是 515
五顏六色的小雨傘掛在樹上，非常美 531
麗。下次去宜蘭玩，可別忘了買上將梨， 549
說不定農民還會 贈送 一把小雨傘喔。 565

 流暢性訓練 — 記錄表

請用計時器測量 1 分鐘朗讀的字數，並記錄在表格裡。

第一次讀	第二次讀	第三次讀	第四次讀	第五次讀
字	字	字	字	字

 如果你 1 分鐘唸 220 字以上，你超級厲害！

 如果你 1 分鐘唸 190 字以內，可以多練習幾次。

生字學習

✏️ 請看「掉」的示範並練習。

生字	練習	練習	部件組合	造詞 (遮住生字寫)
掉 ㄉㄧㄠˋ			扌、卓	掉落、甩掉
蘭 ㄌㄢˊ				宜 □ ㄌㄢˊ 、 □ ㄌㄢˊ 花
爛 ㄌㄢˋ				燦 □ ㄌㄢˋ 、 破 □ ㄌㄢˋ
迎 ㄧㄥˊ				歡 □ ㄧㄥˊ 、 □ ㄧㄥˊ 接
遮 ㄓㄜ				□ ㄓㄜ 蓋 、 □ ㄓㄜ 掩
翁 ㄨㄥ				富 □ ㄨㄥ 、 漁 □ ㄨㄥ
膠 ㄐㄧㄠ				塑 □ ㄐㄧㄠ 、 □ ㄐㄧㄠ 水
撐 ㄔㄥ				硬 □ ㄔㄥ 、 □ ㄔㄥ 傘
掛 ㄍㄨㄚˋ				□ ㄍㄨㄚˋ 鈎 、 □ ㄍㄨㄚˋ 號

生字遊戲 ── 賓果學習單

1. 找個同學跟你一起玩賓果吧！
2. 請在右方表格寫下生字：蘭、爛、迎、遮、翁、膠、撐、掛。
3. 請你們輪流唸生字並圈起來。
   ★ 進階玩法：可以將生字造詞。
4. 最先連成三條線的人獲勝！

掉		

語詞學習

✎ 請把適合的語詞填在句子裡。

1. 這個星期，_____的細雨，
讓衣服都晒不乾。

> 綿綿不斷／綿密小巧

2. 隔壁同學從他桌子的抽屜拿出已
經_____的橘子，味道令人作嘔。

> 破爛／腐爛

3. 弟弟早上鬧脾氣不想上學，媽媽
正為這件事_____著。

> 不愁／發愁

4. 妹妹吵著想要買玩具，爸爸_____
用說故事轉移她的注意力。

> 一舉一動／靈機一動

5. 樹懶的行動緩慢，移動一百公尺竟
然要_____五十分鐘。

> 耗時／耗油

6. 園遊會過後，塑膠杯、紙袋等垃
圾_____操場。

> 滿布／飽滿

7. 楊阿姨_____我們一盒月餅，
真是太好吃了！

> 贈送／附贈

✎ 挑戰看看：請把最適合的語詞填在短文裡。

整個地球_____著人類的足跡，人因為不斷的繁
> 擺布／滿布／滿意

衍而使生命_____，但近年來讓政府_____的
> 綿綿不息／連綿起伏／福壽綿綿　　發怒／發福／發愁

是，不想生小孩的年輕人越來越多。為了提高生

育率，官員們_____，提出_____生育用品或
> 山靈水秀／靈機一動／不為所動　　贈送／贈品／贈別

是補貼生活費的方式來解決這個難題。

89

✎ 找一找：請圈出格子內的語詞，並再讀一次語詞後將橘框內的語詞刪除。

> 梨花、複製、綿綿、夥伴、發愁、靈機一動、耗時、腐爛、費神、贈送、保存、奇妙、移動、長毛象、趕走、滿布。

新	夥	伴	又	運	滿	傳	去	一	腐
異	發	趕	飛	贈	送	許	機	動	爛
其	愁	霉	長	健	趕	願	綿	趕	異
即	爛	花	毛	發	運	走	耗	綿	更
費	綿	統	象	梨	花	費	布	時	日
願	神	泌	贈	時	靈	即	保	贈	時
動	一	複	滿	布	星	機	存	移	動
以	分	製	靈	奇	強	神	一	送	一
耗	時	離	腐	號	妙	統	泌	動	走

✎ 請根據文章內容，選出最適合的答案。

1. ( ) 為什麼農民要幫梨花撐雨傘？

①製造農民的就業機會，讓大家有工作

②避免梨花因淋雨腐爛，無法結果實

③翁松根先生跟大家推銷，說明很有效

④一支雨傘可以用五年，非常划算

2. ( ) 請問在每年的什麼時候需要幫梨花撐傘？

①元月

②二月

③三月

④四月

3. ( ) 雨下個不停，農民看著梨園「發愁」，請問
「發愁」是什麼意思？

①想事情 ②腐爛臭掉了

③很煩惱 ④很生氣

4. ( ) 這篇課文最讓讀者感到驚奇的原因是以下
何者？

①雨水會讓梨花腐爛

②上將梨甜美多汁

③農民幫梨花撐傘

④買梨送小雨傘

5. ( ) 下列何者「不是」作者想透過這篇文章傳
達的重點？

①如塑膠碗的小東西，也可以有大功用

②改良原有做法，讓許多事情事半功倍。

③發揮創造力，可以解決問題。

④千萬不要把好主意告訴別人。

詞彙大拼盤

> 塑膠碗、撐著、消費者、開心、免洗筷、梨農、贈送、
> 倒過來、翁先生、膠帶、發愁、夾、小雨傘、綁、遮雨、
> 農民

請依照詞彙的特性，將上列的語詞寫於適當的分類中。

1. 情緒詞：

發愁、＿＿＿＿＿＿＿＿＿＿＿＿＿＿＿＿＿＿（提示：有一個）

2. 物品詞：

塑膠碗、＿＿＿＿＿＿＿＿＿＿＿＿＿＿＿＿（提示：有三個）

3. 人物詞：

翁先生、＿＿＿＿＿＿＿＿＿＿＿＿＿＿＿＿（提示：有三個）

4. 動作詞：

倒過來、＿＿＿＿＿＿＿＿＿＿＿＿＿＿＿＿（提示：有五個）

 故事分享

把這個故事講給其他人聽，並請他們簽名。

聽完故事，你覺得怎麼樣？	請簽名
☑很好聽 □還不錯 □聽不懂 □其他	蘇小華
□很好聽 □還不錯 □聽不懂 □其他	
□很好聽 □還不錯 □聽不懂 □其他	

NOTE

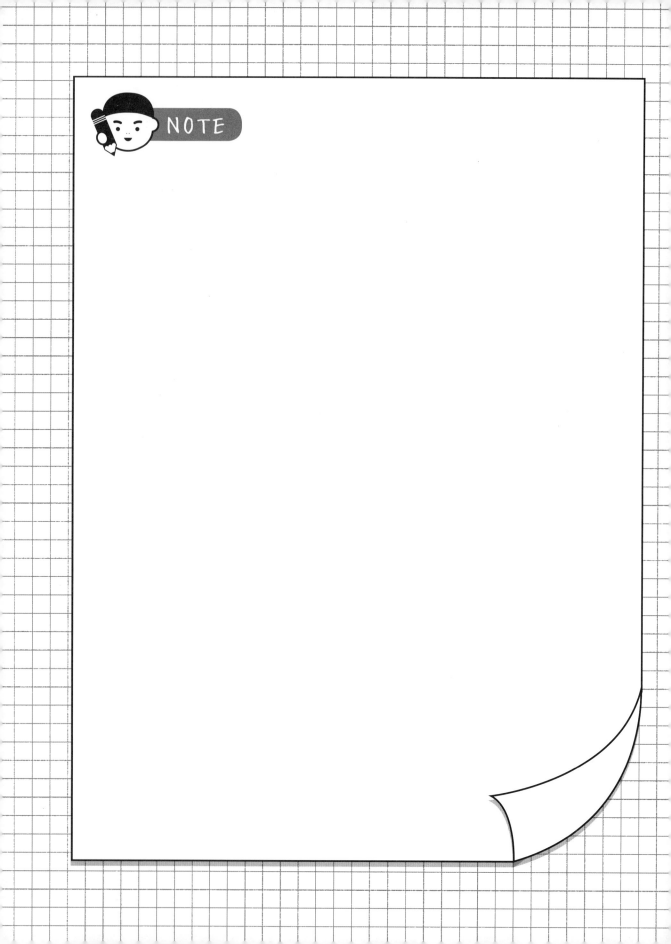

NOTE

10 非(ㄷㄟ)洲(ㄓㄡ)獵(ㄌㄧㄝ)人(ㄖㄣ)的(ㄉㄜ)智(ㄓ)慧(ㄏㄨㄟ)

文 章 結 構 表 ✎

請(ㄑㄧㄥ)依(ㄧ)照(ㄓㄠ)文(ㄨㄣ)章(ㄓㄤ)，完(ㄨㄢ)成(ㄔㄥ)下(ㄒㄧㄚ)列(ㄌㄧㄝ)的(ㄉㄜ)文(ㄨㄣ)章(ㄓㄤ)結(ㄐㄧㄝ)構(ㄍㄡ)表(ㄅㄧㄠ)。

問(ㄨㄣ)題(ㄊㄧ)	主(ㄓㄨ)角(ㄐㄧㄠ)遇(ㄩ)到(ㄉㄠ)什(ㄕㄣ)麼(ㄇㄜ)問(ㄨㄣ)題(ㄊㄧ)？ □ 1.他(ㄊㄚ)非(ㄈㄟ)常(ㄔㄤ)口(ㄎㄡ)渴(ㄎㄜ)但(ㄉㄢ)不(ㄅㄨ)知(ㄓ)道(ㄉㄠ)要(ㄧㄠ)去(ㄑㄩ)哪(ㄋㄚ)裡(ㄌㄧ)取(ㄑㄩ)水(ㄕㄨㄟ)。 □ 2.狒(ㄈㄟ)狒(ㄈㄟ)把(ㄅㄚ)祕(ㄇㄧ)密(ㄇㄧ)水(ㄕㄨㄟ)源(ㄩㄢ)藏(ㄘㄤ)起(ㄑㄧ)來(ㄌㄞ)。
解(ㄐㄧㄝ)決(ㄐㄩㄝ)	主(ㄓㄨ)角(ㄐㄧㄠ)如(ㄖㄨ)何(ㄏㄜ)解(ㄐㄧㄝ)決(ㄐㄩㄝ)問(ㄨㄣ)題(ㄊㄧ)？ □ 1.跟(ㄍㄣ)狒(ㄈㄟ)狒(ㄈㄟ)當(ㄉㄤ)好(ㄏㄠ)朋(ㄆㄥ)友(ㄧㄡ)，讓(ㄖㄤ)牠(ㄊㄚ)「講(ㄐㄧㄤ)出(ㄔㄨ)」水(ㄕㄨㄟ)源(ㄩㄢ)。 □ 2.利(ㄌㄧ)用(ㄩㄥ)狒(ㄈㄟ)狒(ㄈㄟ)的(ㄉㄜ)好(ㄏㄠ)奇(ㄑㄧ)心(ㄒㄧㄣ)，讓(ㄖㄤ)牠(ㄊㄚ)吃(ㄔ)下(ㄒㄧㄚ)鹽(ㄧㄢ)巴(ㄅㄚ)塊(ㄎㄨㄞ)，自(ㄗ)己(ㄐㄧ)跑(ㄆㄠ)向(ㄒㄧㄤ)水(ㄕㄨㄟ)源(ㄩㄢ)。 □ 3.拿(ㄋㄚ)鹽(ㄧㄢ)巴(ㄅㄚ)塊(ㄎㄨㄞ)跟(ㄍㄣ)狒(ㄈㄟ)狒(ㄈㄟ)做(ㄗㄨㄛ)條(ㄊㄧㄠ)件(ㄐㄧㄢ)交(ㄐㄧㄠ)換(ㄏㄨㄢ)，讓(ㄖㄤ)狒(ㄈㄟ)狒(ㄈㄟ)帶(ㄉㄞ)他(ㄊㄚ)去(ㄑㄩ)找(ㄓㄠ)水(ㄕㄨㄟ)源(ㄩㄢ)。
結(ㄐㄧㄝ)果(ㄍㄨㄛ)	結(ㄐㄧㄝ)果(ㄍㄨㄛ)怎(ㄗㄣ)麼(ㄇㄜ)樣(ㄧㄤ)？ ✎ 獵(ㄌㄧㄝ)人(ㄖㄣ)靠(ㄎㄠ)著(ㄓ) ＿＿＿＿＿ 的(ㄉㄜ)帶(ㄉㄞ)領(ㄌㄧㄥ)，找(ㄓㄠ)到(ㄉㄠ)水(ㄕㄨㄟ)源(ㄩㄢ)，終(ㄓㄨㄥ)於(ㄩ)喝(ㄏㄜ)到(ㄉㄠ)水(ㄕㄨㄟ)了(ㄌㄜ)。

非洲獵人的智慧

　　非洲的卡拉哈里沙漠非常缺水，但 15
是，住在那裡的狒狒，卻知道一個 祕密 32
的水源。一天，有個獵人來沙漠打獵， 49
他帶來的水喝完了，非常口渴，但他不 66
知道要去哪裡取水，只能把希望放在狒 83
狒身上。但是狒狒是不會把祕密水源告 100
訴別人的， 於是 獵人想了一個好方法， 117
讓狒狒自己「講出」這個祕密。 131

　　獵人故意在狒狒面前走到一棵樹 145
下，在樹幹上挖個小洞，再把一些野瓜 162
子放進洞裡，然後躲在一旁。看見這一 179
幕的狒狒，一開始假裝什麼都沒看見， 196
但是，過不了多久，好奇心到達頂點的 213
狒狒，終於 忍不住 走向樹幹，想 一探 229
究竟 。狒狒把手伸進樹洞，一把抓起野 246
瓜子，當牠想把抓著瓜子的手伸出洞口 263
時，手卻卡住了。狒狒 齜牙咧嘴 、跳上 280
跳下的掙扎，這時獵人出現了，捉住了 297
這隻抓著瓜子不放的狒狒。獵人用繩子 314

把狒狒綁在樹下，並丟下一些沙漠很缺 331

乏的鹽巴塊，狒狒撿起鹽巴塊 津津有味 348

的吃著，根本就忘記自己被綁起來了。 365

吃了鹽巴之後，狒狒感到非常口渴。這 382

時獵人解開狒狒的繩子。極度口渴的狒 399

狒 顧不了 後面有人跟著，牠奮力的跑 415

向祕密水源。 421

　　原來祕密水源是在一個漂亮的山 435

洞裡，沒有狒狒的帶領，獵人一定沒有 452

辦法自己找到。靠著對動物的了解，獵 469

人 終於 喝到 清涼甘甜 的泉水了。 483

流暢性訓練 —— 記錄表

請用計時器測量 1 分鐘朗讀的字數，並記錄在表格裡。

第一次讀	第二次讀	第三次讀	第四次讀	第五次讀
字	字	字	字	字

 如果你 1 分鐘唸 220 字以上，你超級厲害！

如果你 1 分鐘唸 190 字以內，可以多練習幾次。

✏ 請ㄑㄧㄥˇ看ㄎㄢˋ「撐ㄔㄥ」的ㄉㄜ˙示ㄕˋ範ㄈㄢˋ並ㄅㄧㄥˋ練ㄌㄧㄢˋ習ㄒㄧˊ。

生字		練習	練習	部件組合	造詞（遮住生字寫）
撐	ㄔㄥ			扌、尚、牙	硬撐、撐傘
裝	ㄓㄨㄤ				假 ☐ ㄓㄨㄤ 、 ☐ ㄓㄨㄤ 箱
裂	ㄌㄧㄝˋ				撕 ☐ ㄌㄧㄝˋ 、 ☐ ㄌㄧㄝˋ 縫
捉	ㄓㄨㄛ				☐ ㄓㄨㄛ 拿、捕 ☐ ㄓㄨㄛ
撿	ㄐㄧㄢˇ				☐ ㄐㄧㄢˇ 拾、 ☐ ㄐㄧㄢˇ 現成
挖	ㄨㄚ				☐ ㄨㄚ 取、 ☐ ㄨㄚ 開
探	ㄊㄢ				☐ ㄊㄢ 測、 ☐ ㄊㄢ 險
顧	ㄍㄨ				看 ☐ ㄍㄨ 、 ☐ ㄍㄨ 問
領	ㄌㄧㄥˇ				☐ ㄌㄧㄥˇ 導、帶 ☐ ㄌㄧㄥˇ

1. 找ㄓㄠˇ個ㄍㄜˋ同ㄊㄨㄥˊ學ㄒㄩㄝˊ跟ㄍㄣ你ㄋㄧˇ一ㄧˋ起ㄑㄧˇ玩ㄨㄢˊ賓ㄅㄧㄥ果ㄍㄨㄛˇ吧ㄅㄚ˙！

2. 請ㄑㄧㄥˇ在ㄗㄞˋ右ㄧㄡˋ方ㄈㄤ表ㄅㄧㄠˇ格ㄍㄜˊ寫ㄒㄧㄝˇ下ㄒㄧㄚˋ生ㄕㄥ字ㄗˋ：裝ㄓㄨㄤ、裂ㄌㄧㄝˋ、捉ㄓㄨㄛ、撿ㄐㄧㄢˇ、挖ㄨㄚ、探ㄊㄢ、顧ㄍㄨ、領ㄌㄧㄥˇ。

3. 請ㄑㄧㄥˇ你ㄋㄧˇ們ㄇㄣ˙輪ㄌㄨㄣˊ流ㄌㄧㄡˊ唸ㄋㄧㄢˋ生ㄕㄥ字ㄗˋ並ㄅㄧㄥˋ圈ㄑㄩㄢ起ㄑㄧˇ來ㄌㄞˊ。

★ 進ㄐㄧㄣˋ階ㄐㄧㄝ玩ㄨㄢˊ法ㄈㄚˇ：可ㄎㄜˇ以ㄧˇ將ㄐㄧㄤ生ㄕㄥ字ㄗˋ造ㄗㄠˋ詞ㄘˊ。

4. 最ㄗㄨㄟˋ先ㄒㄧㄢ連ㄌㄧㄢˊ成ㄔㄥˊ三ㄙㄢ條ㄊㄧㄠˊ線ㄒㄧㄢˋ的ㄉㄜ˙人ㄖㄣˊ獲ㄏㄨㄛˋ勝ㄕㄥˋ！

撐		

語詞學習

✏️ 請把適合的語詞填在句子裡。

1. 我心中的_____是不會輕易跟別人說的。

神祕／祕密

2. 看到新聞中火車不幸出軌翻覆的畫面，老師_____紅了眼眶。

忍不住／不耐煩

3. 山路的盡頭出現一棟白色小木屋，讓人忍不住想_____，看看是否有小矮人在裡面。

一刀兩斷／一探究竟

4. 動物園裡的猴子猛然起身，_____的朝著遊客吼叫，許多小朋友都被嚇哭了。

齜牙咧嘴／抓耳撓腮

5. 漁港的攤位販賣許多現撈海產，大家都吃得_____、讚不絕口。

津津有味／口若懸河

6. 當大地震來臨時，_____錢包手機等身外之物，唯有保護自身安全才是最重要的事情。

受不了／顧不了

7. 在炎熱的夏天，吃著泡在井水中_____的西瓜，暑氣全消，真是享受啊！

清涼甘甜／清晰可見

8. 校外參訪時浩浩遲遲沒有出現，_____老師決定先行出發。

於是／那樣

9. 梅雨季連下了兩個星期的綿綿細雨，_____在今天下午放晴了。

終於／可是

挑戰看看：請把最適合的語詞填在短文裡。

道上有一條小岔路，岔路盡頭是一座_____
祕密／祕境／祕辛

的櫻桃林，令人_____想要深入去_____，
想不到／忘不了／忍不住 一探究竟／追根究柢／鍥而不捨

_____是否會有危險。
放不下／顧不了／走不動

走了一段路後，終於到達神祕的櫻桃林，眾人的

_____，都急忙的摘下果實一個個吃得
同情心到了最多／不單純到了極致／好奇心到了極點

_____。
津津有味／齜牙咧嘴／垂涎三尺

 語詞複習

 找一找：請圈出格子內的語詞，並再讀一次語詞後將橘框內的語詞刪除。

沙漠、終於、忍不住、祕密、顧不了、津津有味、
一探究竟、齜牙咧嘴、清涼甘甜、於是、靈機一動、
贈送、腐爛、好奇心、發愁。

好	顧	不	了	顧	奇	路	不	甜	是
奇	於	有	推	究	津	續	祕	清	靈
心	清	津	密	沙	漠	津	密	竟	機
認	漠	涼	唎	終	嘴	陸	有	涼	一
於	是	亞	甘	心	鬧	忍	住	味	動
折	忍	擾	嘴	甜	困	齜	不	靈	嘴
齜	甘	不	腐	爛	一	牙	了	終	於
中	沙	慰	住	發	探	唎	有	贈	牙
一	探	究	竟	是	愁	嘴	津	感	送

閱讀理解

✏ 請根據文章內容，選出最適合的答案。

1. (　) 請問非洲的卡拉哈里沙漠是怎樣的地方？

①天氣非常的乾燥、炎熱

②樹洞中生長著許多野瓜子

③地上全部都是鹽巴塊

④到處都有許多清涼甘甜的泉水

2. (　　) 為什麼獵人要將野瓜子放在樹洞中？

①儲存糧食，避免被搶走

②太陽太炎熱，瓜子會變質

③引起狒狒的好奇心

④想在樹幹中種瓜子

3. (　　) 為什麼狒狒會自己說出祕密？

①因為狒狒需要大量的水解除口渴

②因為獵人用打獵的獵槍威脅牠

③因為牠的手卡在樹洞時，獵人拯救牠

④因為牠想將鹽巴塊帶去跟其他狒狒分享

4. (　　) 請問文章標題中提到獵人的智慧是指？

①獵人知道要讓狒狒自己說出祕密

②獵人根據狒狒的特性，讓狒狒帶他去找水源

③獵人能夠活捉一隻抓著野瓜子的狒狒

④獵人獨自一人來到沙漠打獵

5. (　　) 透過這篇文章，作者「不可能」傳達什麼想法？

①好心有好報

②好奇心可能會讓狒狒遭遇危險

③獵人非常了解狒狒的特性

④獵人給狒狒愛吃的鹽巴，其實是有目的的

神奇化妝術——譬喻法

為了讓人事物更生動、明顯或表達其狀態，我們很常會用「形容詞」，如好冷、帥氣、可憐等等，來幫「名詞、句子」做裝扮喔！來看幾個例子吧！

 範例：

1. 妹妹 好美好可愛 啊！
   [某人事物]　　[形容詞]

2. 火車開得速度 很快。
   [某人事物]　　　　[形容詞]

3. 她的心情 很美麗。
   [某人事物]　　[形容詞]

 練習一：連連看

1. 嬰兒的臉頰　　　　　•　　　　•　很舒爽。

2. 今天的天氣　　　　　•　　　　•　很低落。

3. 她的心情　　　　　　•　　　　•　好嫩。

4. 這位男明星　　　　　•　　　　•　真帥。

✏️ 練習二：填填看

1. 春天的樹葉好＿＿＿＿＿＿＿。（①翠綠／②堅硬）

2. 天空的雲朵好＿＿＿＿＿＿＿。（①潔白／②灰心）

3. 老師的衣服看起來好＿＿＿＿＿＿＿。（①痛苦／②舒適）

4. 大隊接力贏了了，全班＿＿＿＿＿＿＿。（①欣喜若狂／②舒適如意）

5. 狒狒是一種＿＿＿＿＿＿＿的動物。（①好奇／②明亮）

故事分享

把這個故事講給其他人聽，並請他們簽名。

聽完故事，你覺得怎麼樣？	請簽名
☑很好聽 □還不錯 □聽不懂 □其他	蘇小華
□很好聽 □還不錯 □聽不懂 □其他	
□很好聽 □還不錯 □聽不懂 □其他	

11 生日怎麼過？

文章結構表 ✏️

請依照文章，完成下列的文章結構表。

	國家		過生日方法	代表意義
過生日方式	傳統	臺灣	吃豬腳麵線	☐ 1. 長壽去霉運 ☐ 2. 變帥氣、美麗
		日本	✏️ 吃 _____	趕走惡運並帶來幸福
		韓國	✏️ 喝 _____	感謝媽媽生產的辛苦與恩惠。
		英國	吃杯子蛋糕	如果能吃到含有硬幣的蛋糕，代表會得到財富與好運。
	現在	全世界	現在過生日的方法： ☐ 1. 吃蛋糕、吹蠟燭 ☐ 2. 唱歌、跳舞 ☐ 3. 從網路收到好友的祝福文字、圖片和影片。	

生日怎麼過？

你生日的時候會吹蠟燭、切蛋糕　　14
嗎？你知道世界各國有不同的慶生方式　　31
嗎？　　33

你的爺爺、奶奶小時候慶生，就不　　48
會吃蛋糕，而是吃一碗豬腳麵線。豬腳　　65
代表強健，還有把霉運踢走的意思，麵　　82
線則代表長壽，所以豬腳麵線就是 去霉　　99
運 又長壽。　　104

日本的 傳統 慶生方式是吃紅豆　　117
飯。因為日本人認為紅豆的顏色是幸運　　134
色，可以趕走惡運並帶來幸福。其實日　　151
本人不只是生日吃紅豆飯，各種值得慶　　168
祝的場合也都會準備紅豆飯喔。　　182

韓國人生日時，除了會說：「生日　　197
快樂。」還會問：「今天喝海帶湯了嗎？」　　216
因為海帶有豐富的碘和鈣，能幫助生產　　233
後的媽媽 恢復體力 和 分泌 乳汁。所　　248
以，韓國人生日時喝海帶湯，是為了感　　265
謝媽媽生產的辛苦與恩惠。　　277

英國的慶生方式則是吃杯子蛋糕，其中一個蛋糕裡會放一枚硬幣，參與慶生會的人若能吃到這個藏有硬幣的蛋糕，會得到財富與好運。

現在，全世界的小朋友生日時，總少不了一個圓形的蛋糕，但為什麼是圓的呢？原來這和古希臘人信奉的月亮女神有關。女神生日時，人們會製作跟月亮一樣的圓形蛋糕，並在蛋糕上點蠟燭向女神許願，因為蠟燭的煙會向上飄，傳說願望就會隨著煙飄到月亮女神耳中。

現在有網路了，很多人都有社群網站帳號，它們會提醒你：今天是誰的生日。你只要在手機上按下按鍵，就可以發送祝福的訊息和圖片給遠方的壽星。想想看，壽星生日當天一早起來，打開手機就會發現滿滿的生日祝福，有文字、有圖片、有相片，是多開心的一件事啊！

各國擁有各式各樣的慶生習俗，不變的是對壽星平安好運的祝福。

請用計時器測量 1 分鐘朗讀的字數，並記錄在表格裡。

第一次讀	第二次讀	第三次讀	第四次讀	第五次讀
字	字	字	字	字

 如果你 1 分鐘唸 220 字以上，你超級厲害！👍

 如果你 1 分鐘唸 190 字以內，可以多練習幾次。

 生字學習

✏️ 請看「頭」的示範並練習。

生字		練習	練習	部件組合	造詞（遮住生字寫）
頭	ㄊㄡˊ			豆、頁	頭髮、頭腦
顏	ㄧㄢˊ				☐ㄧㄢˊ色、容☐ㄧㄢˊ
願	ㄩㄢˋ				許☐ㄩㄢˋ、☐ㄩㄢˋ望
實	ㄕˊ				誠☐ㄕˊ、☐ㄕˊ現
則	ㄗㄜˊ				規☐ㄗㄜˊ、法☐ㄗㄜˊ
財	ㄘㄞˊ				發☐ㄘㄞˊ、☐ㄘㄞˊ產
健	ㄐㄧㄢˋ				☐ㄐㄧㄢˋ康、☐ㄐㄧㄢˋ身
鍵	ㄐㄧㄢˋ				關☐ㄐㄧㄢˋ、按☐ㄐㄧㄢˋ

生字遊戲——賓果學習單

1. 找個同學跟你一起玩遊戲吧！
2. 你們要猜拳輪流寫字，猜贏的寫。
3. 請你們一個寫「頁」部件的國字，另一個寫「貝」部件的國字。
4. 最先連成一條線的人獲勝。

頭		
		財

 語詞學習

 請把適合的語詞填在句子裡。

1. 吃粽子就是_____甜辣醬。

2. 奶奶說，吃豬腳可以_____，讓一整年的運勢變好喔。

3. 他是今天的_____，我們一起來幫他唱生日快樂歌。

4. 媽媽喜歡在_____市場買菜。

5. 爸爸工作一整天太累了，需要睡一覺來_____。

6. 我們的嘴巴會_____唾液以幫助消化。

少不了／想不到

去霉運／除溼

明星／壽星

傳送／傳統

恢復體力／精疲力竭

分泌／便祕

✏️ 挑戰看看：請把最適合的語詞填在短文裡。

奶奶說吃豬腳麵線可以_____，讓一整年的運勢
【去霉運 ／ 除溼 ／ 運氣】
變得很好，而且這也是家裡的_____。
【傳遞 ／ 傳達 ／ 傳統】

每當有人生日時，奶奶就會幫_____煮一大碗豬
【壽星 ／ 祝壽 ／ 明星】
腳麵線。這麵線吃在嘴裡甜甜的，因為嘴巴會
_____唾液，讓麵線變甜。有時奶奶會在當歸湯
【分享 ／ 分泌 ／ 便祕】
裡加麵線，這湯不僅補血，還可以_____。
【恢復體力 ／ 復原 ／ 健康】
我的生日快到了，奶奶說要煮大餐給我吃，其中
一定_____豬腳麵線。
【少不了 ／ 想不到 ／ 找不到】

 語詞複習

✏️ 找一找：請圈出格子內的語詞，並再讀一次語詞
後將橘框內的語詞刪除。

生日、傳統、祕密、恢復體力、許願、終於、壽星、
平安好運、少不了、於是、齜牙咧嘴、費神、分泌、
滿布、去霉運、複製。

少	我	介	不	泌	訪	恢	復	體	力
願	不	走	於	齜	特	統	終	許	星
分	自	了	是	分	牙	力	星	於	傳
泌	觸	運	紹	體	碰	唎	分	碰	許
許	體	傳	安	生	日	氣	嘴	霉	願
費	神	統	好	揮	傳	不	平	去	壽
安	紹	普	去	祕	汙	了	安	複	滿
遍	壽	星	霉	恢	密	解	好	許	製
好	運	去	運	復	辱	許	運	滿	布

閱讀理解

✏️ 請根據文章內容，選出最適合的答案。

1. (　　) 爺爺奶奶小時候慶生，為什麼要吃豬腳麵線？

①可以長壽去霉運　　　②豬腳麵線很貴

③他們不喜歡吃甜食　　　④沒有蛋糕可以買

2. ( ) 為什麼日本人生日要吃紅豆飯？
①他們喜歡紅色　　②紅豆甜甜的
③可以趕走惡運　　④可以帶來美麗

3. ( ) 下列哪一個「不是」韓國人在生日時喝海帶湯的原因？
①海帶有豐富的碘和鈣
②海帶幫助媽媽產後恢復體力
③感謝媽媽生產辛苦
④海帶能帶來幸福

4. ( ) 為什麼現在的生日蛋糕都是圓的？
①因為圓形比較美
②因為圓形比較好切
③因為跟古希臘人信奉的月亮女神有關
④因為裡面要放圓形的硬幣

5. ( ) 你猜，大家讀過這篇文章後，最可能有什麼感覺？
①興奮激動的感覺
②平安好運的感覺
③熱情好運的感覺
④新鮮有趣的感覺

句句有型——連接詞「因為…，所以…」

 小朋友，我們今天要學「因為…，所以…」的連接詞，當你讀懂連接詞，更能看懂句子喔！

> 因為……豬腳還有把霉運踢走的意思，
> ↑
> 這句是前因
>
> 所以豬腳麵線還代表去霉運←這句是後果。

1. 請將「因為…，所以…」填進句子裡。

（　　）我很努力，（　　）考試得高分。

2. 請勾選最適合的答案，完成句子。

✏ 因為天空在下雨，所以 ☐ 我要趕快晒衣服。
　　　　　　　　　　　　☐ 我要趕快收衣服。

✏ 因為功課很多，所以我 ☐ 和同學一起去玩。
　　　　　　　　　　　　☐ 和同學一起努力。

✏ 因為他 ☐ 喜歡半夜吃零食　　　，所以變得很胖。
　　　　　☐ 喜歡吃蔬菜、水果

3. 請連連看。（有兩個正確答案）

前因的句子	後果的句子

因為小狗很可愛，• 　　　　• 所以大家都喜歡摸牠。

　　　　　　　　　　　　• 所以牠看起來很凶。

　　　　　　　　　　　　• 所以小孩子都不怕牠。

4.將以下兩個句子用「因為…，所以…」連結起來。

①踩到香蕉

②我跌倒了

✎ _____

故事分享

把這個故事講給其他人聽，並請他們簽名。

聽完故事，你覺得怎麼樣？	請簽名
☑很好聽 □還不錯 □聽不懂 □其他	蘇小華
□很好聽 □還不錯 □聽不懂 □其他	
□很好聽 □還不錯 □聽不懂 □其他	

NOTE

文章結構表 ✎

請依照文章，完成下列的文章結構表。

國家	打招呼的方式
日本	✎ 日常生活打招呼時，日本人會 _____ 15 度 ✎ 初次見面或自我介紹時會 _____ 30 到 45 度
泰國	✎ 在胸前 _____，稍微低頭
馬來西亞	右掌放在左胸前，表示： □ 1. 來賓您好 □ 2. 我打從心底問候你
印度	✎ 最常見的是 _____ 行禮 ✎ 向長者打招呼時，他們會彎下身體並碰觸長者的腳
西藏	伸出舌頭來打招呼，表示： □ 1. 他們沒有惡意，也不會背後罵你 □ 2. 幫你把壞運趕走，帶來好運
美國	✎ 最常見的方式是 _____、_____，只有面對親人或好友時他們才會給予擁抱
法國	熟人間以什麼方式來打招呼？ □ 1. 親吻臉頰 □ 2. 擁抱

各國打招呼的方式

　　世界上有一百九十幾個國家，有些　15
國家打招呼的方式很特別喔！　28

　　日本人最愛鞠躬了。在日常生活的　43
打招呼，日本人只會彎腰十五度。但初　60
次見面或自我介紹時，則會彎腰三十到　77
四十五度，若要表示最高的 尊敬 ，就必　94
須彎腰到九十度。鞠躬時，男生兩手會　111
自然的放在大腿兩側，而女生會把左手　128
放在右手上，再放到身前行鞠躬禮。　144

　　泰國人打招呼時，會在胸前雙手合　159
十，稍微低頭。在泰國，連速食餐廳的　176
形象人物也會雙手合十向你打招呼喔。　193

　　在馬來西亞，一般人見面，會把右　208
掌放在左胸前，表示「我打從心底向您　225
問候」。但是千萬不能用左手打招呼，　242
這樣做則是表示 侮辱 。　252

　　印度人最常見的打招呼方式也是　266
雙手合十行禮，但是，向長者打招呼時，　284
他們會彎下身體並 碰觸 長者的腳，表　300

達對長者的尊敬。 308

　　西藏人有著最特殊的打招呼方 321
式，他們會伸出舌頭來打招呼。但請放 338
心，他們不是要舔你，只是表示他們沒 355
有惡意，也不會在背後罵你。 368

　　再看美國這個國家，有人會以為美 383
國很熱情，見面就會擁抱或親吻，但真 400
的是這樣嗎？其實，在美國最普遍的 416
打招呼方式是握手、碰拳頭。只有面對 433
親人或好友時他們才會給予擁抱。 448

　　在法國，熟人間以親吻臉頰的方式 463
來打招呼，但通常沒有真正親吻，碰一 480
下臉就可以了。 487

　　每個國家有著不同的打招呼方式， 502
下次走訪不同國家時，可別忘了先了 518
解那個國家打招呼的方式喔！ 531

 流暢性訓練 —— 記錄表

請用計時器測量1分鐘朗讀的字數，並記錄在表格裡。

第一次讀	第二次讀	第三次讀	第四次讀	第五次讀
字	字	字	字	字

如果你1分鐘唸220字以上，你超級厲害！

如果你1分鐘唸190字以內，可以多練習幾次。

生字學習 (ㄕㄥ ㄗˋ ㄒㄩㄝˊ ㄒㄧˊ)

✏️ 請看「願」的示範並練習。

生字		練習	練習	部件組合	造詞（遮住生字寫）
願	ㄩㄢˋ			原、頁	心願、願望
觸	ㄔㄨˋ				接 ⬜ ㄔㄨˋ 、⬜ ㄔㄨˋ 電
解	ㄐㄧㄝˇ				理 ⬜ ㄐㄧㄝˇ 、⬜ ㄐㄧㄝˇ 除
掌	ㄓㄤˇ				手 ⬜ ㄓㄤˇ 、⬜ ㄓㄤˇ 控
拳	ㄑㄩㄢˊ				⬜ ㄑㄩㄢˊ 頭、握 ⬜ ㄑㄩㄢˊ
界	ㄐㄧㄝˋ				世 ⬜ ㄐㄧㄝˋ 、邊 ⬜ ㄐㄧㄝˋ
男	ㄋㄢˊ				⬜ ㄋㄢˊ 性、⬜ ㄋㄢˊ 生
尊	ㄗㄨㄣ				本 ⬜ ㄗㄨㄣ 、⬜ ㄗㄨㄣ 重
辱	ㄖㄨˇ				⬜ ㄖㄨˇ 罵、羞 ⬜ ㄖㄨˇ

生字遊戲——賓果學習單

1. 找個同學跟你一起玩賓果吧！
2. 請在右方表格寫下生字：觸ㄔㄨˋ、解ㄐㄧㄝˇ、掌ㄓㄤˇ、拳ㄑㄩㄢˊ、界ㄐㄧㄝˋ、男ㄋㄢˊ、尊ㄗㄨㄣ、辱ㄖㄨˇ。
3. 請你們輪流唸生字並圈起來。
   ★ 進階玩法：可以將生字造詞。
4. 最先連成三條線的人獲勝！

願		

✏️ 請把適合的語詞填在句子裡。

1. 不管是誰，只要努力把工作做好，都值得我們_____。

　　尊敬／敬拜

2. 老師禁止學生做出攻擊或是_____他人的行為。

　　侮辱／汙垢

3. 輕輕的_____含羞草，它的葉片就會合起來。

　　碰見／碰觸

4. 爺爺送的手錶，對爸爸來說有著_____的意義。

　　特殊／特效

5. 他今天沒有來學校，_____不是他生病，而是睡過頭了。

　　其中／其實

6. 街上到處都是7-11，是最_____的商店。

　　普遍／簡單

7. 老師會_____每個人的家庭，做家庭訪問。

　　走訪／走動

✏️ 挑戰看看：請把最適合的語詞填在短文裡。

許多民眾在_____藝術館時，喜歡用手_____藝

　　訪問／走訪／問答　　　　推敲／碰觸／打掃

術品，尤其是_____的藝術品。

　　特殊／常見／普遍

創作是值得_____的，我們應該避免這種不禮貌

　　敬禮／歉意／尊敬

的行為。

119

找一找：請圈出格子內的語詞，並再讀一次語詞後將橘框內的語詞刪除。

國家、去霉運、尊敬、許願、雙手合十、了解、侮辱、分泌、碰觸、特殊、自我介紹、普遍、走訪、其實、傳統、壽星。

家	其	雙	特	分	其	實	走	家	心
又	尊	處	去	泌	去	我	介	雙	異
即	十	敬	柔	以	手	特	普	手	有
普	入	觸	疏	國	家	自	殊	合	問
遍	紡	侮	辱	經	老	傳	紡	十	暈
心	軟	走	心	分	了	統	訪	淚	國
了	的	織	訪	遍	去	途	許	願	普
十	解	紹	異	敬	霉	壽	走	碰	織
手	自	我	介	紹	運	尊	星	觸	嗅

✏️ 請根據文章內容，選出最適合的答案。

1. (　　) 請問日本這個國家如何打招呼？

①合十　②鞠躬　③握手　④擁抱

2. (　　) 以下有關日本的打招呼方式何者敘述「錯誤」？

①因場合、意義的不同，彎腰的角度也不同

②最尊敬的打招呼方式是彎腰九十度

③鞠躬時男女的姿勢不同

④女生將手放在大腿上，男生將雙手交疊

3. (　　) 請問以下哪兩個國家打招呼時會雙手合十？

①日本、臺灣

②印度、西藏

③泰國、印度

④美國、法國

4. (　　) 請問西藏人吐舌頭打招呼是什麼意思？

①想要舔你

②說明他們喜歡你

③表示他們沒有惡意

④告訴你他們感謝你

5. (　　) 底下選項中，哪一個最能說明本課的目的？

①讓讀者了解各國不同的打招呼方式

②讓讀者了解友誼的重要性

③讓讀者認識美國人的熱情

④讓讀者能夠尊重別人

寫作訓練——我會用標點符號

小朋友，當我們在寫句子或文章時，一定會用到「標點符號」，它會讓文章更好被理解喔！

➤ 認識標點符號：

1. 驚嘆號（！）：放在感嘆語氣及加重語氣的詞語、句子之後。例如：唉呀！我忘記帶書了。

2. 頓號（、）：表示並列詞語之間的停頓符號。

寫寫看：請在（ ）中填入最適合的標點符號。（、）或（！）

① 弟弟喜歡吃的水果有：西瓜（ ）鳳梨（ ）芒果和釋迦。

② 救命啊（ ）失火啦（ ）

③ 我姐姐是一位溫柔（ ）善良且體貼的女孩。

④ 在美國最普遍的打招呼方式是握手（ ）碰拳頭。

⑤ 有些國家打招呼的方式很特別喔（ ）

⑥ 走開（ ）別擋路。

⑦ 媽媽說：「今天的便當，我準備了你最愛吃的雞腿（ ）雞塊（ ）薯餅和薯條喔（ ）」

故事分享

把這個故事跟其他人分享，並請他們簽名。

聽完故事，你覺得怎麼樣？	請簽名
☑很好聽 □ 還不錯 □ 聽不懂 □ 其他	蘇小華
□ 很好聽 □ 還不錯 □ 聽不懂 □ 其他	
□ 很好聽 □ 還不錯 □ 聽不懂 □ 其他	

NOTE

13 全世界的第一名

文章結構表 ✏

請依照文章，完成下列的文章結構表。

事件	✏ 艾瑞克參加 _____ 比賽。
背景	艾瑞克第一次參加比賽、看人家跳水、看到五十公尺長的標準游泳池。但他的國家只有一座十三公尺長的游泳池，只能練習三小時，只有一位漁夫教他游泳。

經過	比賽前	✏ 他對自己是否能游完比賽感到懷疑，但他告訴自己 _____。
	比賽時	✏ 他盡力的游泳，游了五十公尺。他迴轉開始游第二個五十公尺，但他 _____。
	比賽最後	觀眾為他鼓掌加油，他終於游到了終點。

結果	結果怎麼樣？ ☐ 1. 他的成績是當年的最後一名。 ☐ 2. 他的精神是當年的最後一名。
迴響	面對困難、不怕丟臉的精神是全世界的第一名。

Sydney 🔘

全世界的第一名

這是艾瑞克‧莫三巴尼在 2000 年澳　17

洲雪梨參加奧運自由式 100 公尺游泳比　35

賽的故事。　40

艾瑞克 來自 非洲一個很窮的小國　54

家——赤道幾內亞。這次比賽是他有生　70

以來第一次參加比賽、第一次看到選手　87

跳水、第一次看到長達五十公尺的標準　104

游泳池。　108

艾瑞克的國家只有一座十三公尺　122

長的游泳池，他一星期只能在那裡練習　139

三個小時。因為練習的時間太少了，所　156

以他必須到河流裡、到海邊 練習 游泳。　173

他沒有教練，只有一個漁夫教他腳要怎　190

麼踢，手要怎麼划，才不會沉下去。　206

比賽前一天，艾瑞克偷偷 模仿 其　220

他選手跳水的樣子，終於學會怎麼跳　236

水。比賽當天，游泳館內有幾千個觀眾，　254

幾百臺攝影機，現場鬧哄哄的。　268

艾瑞克知道，全世界最頂尖、游得　283

最快的選手都在這裡了。看著似乎沒有　300

盡頭的長水道，艾瑞克問自己：「我游 317

得過去嗎？」他身體微微發抖，但他咬 334

咬牙對自己說：「我一定辦得到！」 350

　　槍聲一響，他跳入水裡，使盡吃奶 365

的力氣飛快的擺動著手臂、踢動雙腿。 382

終於游了五十公尺後，他迴轉，開始游 399

第二個五十公尺。但他開始 筋疲力竭 ， 416

腳踢不動，肺似乎要爆炸，他越游越慢。 434

但這時，「加油，艾瑞克加油！」的呼喊 452

聲從 四面八方 傳來。 461

　　全場觀眾起立，大聲為艾瑞克鼓掌 476

及加油，艾瑞克使盡最後一分力氣，終 493

於游到了終點。雖然他的成績是最後一 510

名，但是他面對困難、不怕丟臉的 精 526

神 ，卻是全世界的第一名。 537

 流暢性訓練 —— 記錄表

請用計時器測量 1 分鐘朗讀的字數，並記錄在表格裡。

第一次讀	第二次讀	第三次讀	第四次讀	第五次讀
字	字	字	字	字

如果你 1 分鐘唸 220 字以上，你超級厲害！

如果你 1 分鐘唸 190 字以內，可以多練習幾次。

生字學習

✏️ 請看「燒」的示範並練習。

生字	練習	練習	部件組合	造詞（遮住生字寫）
燒 ㄕㄠ			火、堯	燒傷、燒開水
爆 ㄅㄠ				□ㄅㄠ 胎、□ㄅㄠ 炸
炸 ㄓㄚ				轟□ㄓㄚ、□ㄓㄚ 彈
偷 ㄊㄡ				□ㄊㄡ 錢、小□ㄊㄡ
越 ㄩㄝ				□ㄩㄝ 來□ㄩㄝ 好
轉 ㄓㄨㄢˇ				扭□ㄓㄨㄢˇ、□ㄓㄨㄢˇ 身
傳 ㄔㄨㄢ				□ㄔㄨㄢ 球、□ㄔㄨㄢ 達
臂 ㄅㄟ				手□ㄅㄟ、□ㄅㄟ 膀
筋 ㄐㄧㄣ				□ㄐㄧㄣ 骨、拉□ㄐㄧㄣ

生字遊戲 —— 賓果學習單

1. 找個同學跟你一起玩賓果吧！

2. 請在右方表格寫下生字：燒、爆、炸、偷、越、轉、傳、臂、筋。

3. 請你們輪流唸生字並圈起來。
   ★ 進階玩法：可以將生字造詞。

4. 最先連成三條線的人獲勝！

✏️ 請把適合的語詞填在句子裡。

1. 人群從＿＿＿＿＿＿＿聚集，為的就是看 101 大樓的跨年煙火秀。

> 大排長龍／四面八方

2. ＿＿＿＿＿＿的次數越多，熟練的程度越高。

> 練習／精神

3. 他做惡夢沒睡好，今天早上＿＿＿＿＿＿渙散。

> 身體／精神

4. 他對那件事＿＿＿＿＿＿感到很棘手。

> 似乎／四面八方

5. 鸚鵡可以＿＿＿＿＿＿人的聲音，甚至是說話。

> 模仿／訪問

✏️ 挑戰看看：請把最適合的語詞填在短文裡。

2018 年舉辦美國小馬聯盟青少棒錦標賽時，從

＿＿＿＿＿＿＿＿來了許多優秀的隊伍。要贏得冠軍

> 大排長龍／四面八方／八面玲瓏

＿＿＿＿＿＿是一場艱鉅的挑戰。

> 似乎／終於／然而

比賽到後來，各國選手們都已＿＿＿＿＿＿，然而臺

> 垂涎三尺／筋疲力竭／熱淚盈眶

灣代表隊反而更振作起＿＿＿＿＿＿堅持到最後，勇

> 體力／能力／精神

奪世界冠軍。

找一找：請圈出格子內的語詞，並再讀一次語詞後，將橘框內的語詞刪除。

奧運、特殊、頂尖、侮辱、鬧哄哄、來自、練習、
去霉運、雙手合十、模仿、自我介紹、了解、
四面八方、精神、迴轉。

練	哄	力	仿	雙	自	於	精	於	迴
運	習	神	疲	手	精	神	即	模	林
仿	訓	特	鬧	合	來	面	心	景	仿
本	竭	殊	尖	十	練	頂	四	僅	扎
迴	四	轉	根	僅	惹	方	尖	轉	了
紅	尖	面	物	奧 運		四	方	尖	解
去	霉	運	八	頂	招	迴	仿	峰	已
來	轉	伏	次	方	根	轉	鬧	哄	哄
自	頂	自	我	介	紹	機	模	侮	辱

閱讀理解

✏️ 請根據文章內容選出最適合的答案。

1. (　　) 這是艾瑞克第幾次參加奧運？
　　①第一次　　　　　　②第三次
　　③第二次　　　　　　④文章沒說

2. (　　) 誰教艾瑞克游泳？
　　①他自己學會的　　　②某位攝影師
　　③某位漁夫　　　　　④某位游泳教練

3. (　　) 為什麼艾瑞克游泳前，身體微微發抖？
　　①他是偷偷去比賽的，怕遇到認識的人
　　②他怕自己無法游完一百公尺
　　③他怕聽到槍聲
　　④水太冷了

4. (　　) 艾瑞克比賽最後一名的原因是什麼？
　　①他放棄了，沒游到終點
　　②他練習不足，不太會游泳
　　③其他選手故意讓他丟臉
　　④他的腳抽筋

5. 你覺得艾瑞克是個什麼樣的人？為什麼？

　　我覺得他是一位 ＿＿＿＿＿＿＿ 的人，
　　因為 ＿＿＿＿＿＿＿＿＿＿＿＿＿＿＿＿ 。
　　❖ 參考特質詞：有毅力、努力、勇敢、好冒險、
　　衝動

神奇化妝術——誇飾法

 小朋友，講話時使用誇張的方法（誇飾法）能讓人印象深刻。請勾出有誇飾法的短句。

☐ 1. 他骨瘦如柴，風一吹就會把他吹走。

☐ 2. 比賽當天，游泳館內有幾千個觀眾，幾百個攝影機，現場鬧哄哄的。

☐ 3. 我好餓！我覺得我可以吃下一頭牛。

 請先想一想，再填入最適合的答案。

誰	他有什麼特點	誇飾描寫
張小明	跑步很快	他好像飛毛腿，跑起來像噴射機在飛。
王大成	講話很快很直接，常常傷害別人	他的嘴巴像＿＿＿＿一樣會傷人。
蔡小娟	吃飯慢、走路慢、寫功課也慢	等到蔡小娟寫完功課，太陽都＿＿＿＿了。

> ### 我們班的第一名
> 我們班有很多第一名的同學，張小明是跑步第一名，他跑步很快，就像飛毛腿，跑起來像噴射機在飛。還有＿＿（誰）＿＿是＿＿（特點）＿＿的第一名，他可以……。

✏ 小朋友，現在換你試著用誇飾法，和其他人分享你們班的第一名吧！

故事分享

請跟其他人分享這個故事，並請他們簽名

聽完故事，你覺得怎麼樣？	請簽名
☑很好聽 □還不錯 □聽不懂 □其他	蘇小華
□很好聽 □還不錯 □聽不懂 □其他	
□很好聽 □還不錯 □聽不懂 □其他	

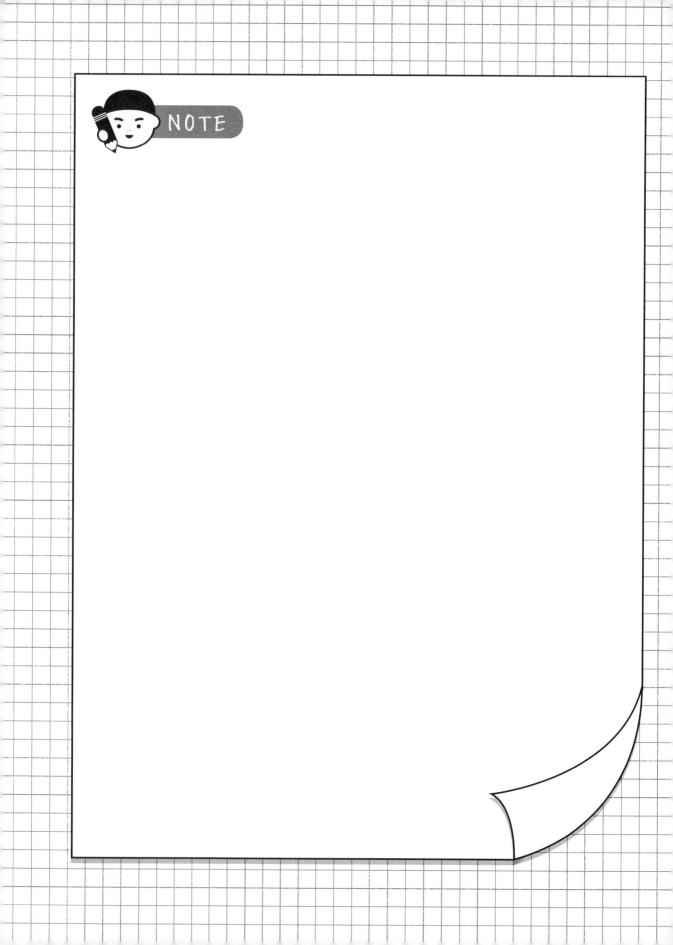

NOTE

14 誠信是珍貴的寶藏

文章結構表 ✏️

請依照文章，完成下列的文章結構表。

背景	哈里斯是一位心地善良的美國人，有一天她和朋友一起在餐廳吃飯，她在餐廳外面遇到一名黑人流浪漢。
起因	引發故事的原因是什麼？ 瓦倫丁跟哈里斯要錢。
經過	過程發生哪些事？請你依照發生的順序，填入1、2、3、4、5。 □ 瓦倫丁小心翼翼的跟哈里斯借信用卡。 □ 哈里斯沒有零錢，只有一張額度十萬元的信用卡。 □ 瓦倫丁買完東西後，歸還信用卡。 □ 哈里斯擔心瓦倫丁拿信用卡後跑走。 □ 哈里斯將這件事跟《紐約郵報》說，得到熱烈迴響。
結果	結果怎麼樣？ ✏️ 有一名商人匯 _____ 給瓦倫丁。 ✏️ 有一家航空公司想要 _____ 瓦倫丁擔任空服人員。
迴響	✏️ 瓦倫丁感謝母親從小教育他，做人一定要 _____。因此，他始終相信，誠實的人終究會有好報的。

誠信是珍貴的寶藏

　　哈里斯是一位心地善良的美國人，　　15
有一天她和朋友一起在餐廳吃飯，吃到　　32
一半時，她和朋友走到餐廳外面聊天。　　49
這時，一名黑人流浪漢走近哈里斯，不　　66
好意思的說：「我叫瓦倫丁，失業三年了，　　85
不知您是否可以給我一點零錢，讓我買　　102
些生活用品？」哈里斯露出微笑說：「沒　　120
問題。」接著打開了錢包。　　132

　　令哈里斯感到 囧尬 的是，錢包裡　　146
沒有錢，只有一張信用卡。瓦倫丁看出　　163
她的尷尬， 小心翼翼 的問：「如果您相　　180
信我，能將這張卡借我用嗎？」哈里斯　　197
居然 不假思索 的就把信用卡遞給瓦倫　　213
丁。拿著這張卡，瓦倫丁 躊躇 了一會　　229
兒，又問：「除了買些生活用品，還能用　　247
它再多買一包香菸嗎？」哈里斯說：「當　　265
然可以，你需要就買吧！」之後哈里斯　　282
和朋友便走回餐廳。這時哈里斯開始擔　　299
心起來：「我的信用卡額度有十萬美元，　　317

萬一那個人跑了，我就虧大了！」朋友 334

無奈的說：「你怎麼會那麼輕易的相信 351

陌生人呢？」她們食不下嚥，只好走出 368

餐廳。 371

　　想不到，瓦倫丁已經在門口等候。 386

他雙手奉還卡片，還說：「我一共刷卡 403

消費了二十五美元，買了一些盥洗用 419

品、兩瓶水和一包香菸，請您檢查。」哈 437

里斯又驚又喜，抓著瓦倫丁說：「謝謝你， 456

謝謝你！」瓦倫丁一臉疑惑：「是您幫助 474

我，應該是我說謝謝才對啊！」 488

　　之後，哈里斯將這件事跟《紐約郵 503

報》說，報社被瓦倫丁的誠實感動，便 520

將此事報導出去。故事一刊出來，立刻 537

得到熱烈迴響，報社收到許多讀者的 553

電子郵件，說他們願意幫助瓦倫丁。還 570

有一名商人隔天就匯了六千美元給瓦 586

倫丁，更令人驚喜的是，有一家航空公 603

司想要聘請他擔任空服人員。 616

　　瓦倫丁感謝的說：「從小母親就教 631

育我，做人一定要誠實守信。因此，我 648

始終相信，誠實終究會有好報。」 663

請用碼表測 1 分鐘朗讀的字數，並記錄在表格裡。

第一次讀	第二次讀	第三次讀	第四次讀	第五次讀
字	字	字	字	字

如果你 1 分鐘唸 220 字以上，你超級厲害！

如果你 1 分鐘唸 190 字以內，可以多練習幾次。

 生字學習

請看「需」的示範並練習。

生字		練習	練習	部件組合	造詞（遮住生字寫）
需	ㄒㄩ			雨、而	需求、需要
零	ㄌㄥˊ				☐ ㄌㄥˊ 散、☐ ㄌㄥˊ 錢
露	ㄌㄨˋ				☐ ㄌㄨˋ 出、☐ ㄌㄨˋ 水
虧	ㄎㄨㄟ				ㄎㄨㄟ 損、盈 ☐ ㄎㄨㄟ
雙	ㄕㄨㄤ				ㄕㄨㄤ 眼、☐ ㄕㄨㄤ 手
刷	ㄕㄨㄚ				ㄕㄨㄚ 卡、☐ ㄕㄨㄚ 子
刊	ㄎㄢ				ㄎㄢ 物、☐ ㄎㄢ 登
檢	ㄐㄧㄢˇ				ㄐㄧㄢˇ 驗、☐ ㄐㄧㄢˇ 查
臉	ㄌㄧㄢˇ				洗 ☐ ㄌㄧㄢˇ、丟 ☐ ㄌㄧㄢˇ

生字遊戲 —— 賓果學習單

1. 找個同學跟你一起玩賓果吧！
2. 請在右方表格寫下生字：零、露、
   虧、雙、刷、刊、檢、臉。
3. 請你們輪流唸生字並圈起來。
   ★ 進階玩法：可以將生字造詞。
4. 最先連成三條線的人獲勝！

需		

 語詞學習

 請把適合的語詞填在句子裡。

1. 老師今天早上走錯教室，他的表情顯得很＿＿＿＿＿＿。

   尷尬／猶豫

2. 我今天手上拿著三個玻璃瓶，只好＿＿＿＿＿＿的走路去上學。

   小心翼翼／粗心大意

3. 媽媽＿＿＿＿＿＿的拒絕了我的請求，因為她覺得我並不是真正需要。

   不言而喻／不假思索

4. 李姐姐不管做什麼事情，總是＿＿＿＿＿＿不前，做不了決定。

   躊躇／迷茫

5. 路旁街友伯伯的表情顯得很＿＿＿＿＿，感覺對生活失去了希望。

   無心／無奈

6. 媽媽因為工作繁重而＿＿＿＿＿＿，才幾天就明顯消瘦許多。

   食不厭精／食不下嚥

✏️ 挑戰看看：請把最適合的語詞填在短文裡。

曉萱和小如原本是一對無話不談的知心好友，

因為一次的誤會，原本＿＿＿＿＿＿＿便可知曉對方
不假辭色 ／ 不假思索 ／ 不茶不飯
心意的默契，如今見面就十分＿＿＿＿＿，講起話來
伶俐 ／ 愉快 ／ 尷尬
也不如以往隨意，總是＿＿＿＿＿＿。
小心翼翼 ／ 因小失大 ／ 小怯大勇

對此，小如經常＿＿＿＿＿＿＿，覺得非常＿＿＿＿。
飽食暖衣 ／ 食不下嚥 ／ 不食之地　無心 ／ 無悔 ／ 無奈

語詞複習

找一找：請圈出格子內的語詞，並再讀一次語詞
後將橘框內的語詞刪除。

誠信、小心翼翼、頂尖、躊躇、無奈、練習、尷尬、
食不下嚥、精神、熱烈迴響、聘請、模仿、不假思索、
來自、四面八方、觸碰。

來	自	心	尬	假	熱	烈	迴	響	食
夢	即	不	躊	躇	綿	不	布	耗	不
愁	小	觸	碰	思	小	假	愁	綿	下
聘	心	下	躇	無	信	思	頂	食	嚥
響	翼	模	思	奈	食	索	躊	尖	腐
奈	翼	四	仿	響	誠	信	思	響	滿
滿	又	請	面	烈	下	烈	無	小	聘
精	另	練	索	八	滿	熱	尷	尬	請
送	神	尷	習	索	方	翼	發	下	上

閱讀理解

請根據文章內容，選出最適合的答案。

1. (　　) 為什麼瓦倫丁需要向哈里斯尋求幫助？

①他的錢包掉了，身上沒錢

②他不知道去哪裡買東西

③他想跟哈里斯多說一點話

④他失業三年了，沒有錢

2. (　　) 哈里斯「食不下嚥」，表示她心情如何呢？
　　①歡喜愉快
　　②焦慮不安
　　③生氣憤怒
　　④平靜安定

3. (　　) 為什麼哈里斯要跟瓦倫丁說謝謝？
　　①因為瓦倫丁站在餐廳外等她
　　②因為哈里斯覺得自己做了一件好事
　　③因為哈里斯沒想到瓦倫丁真的會把信用卡還給她
　　④因為瓦倫丁只花了二十五塊錢

4. (　　) 你覺得瓦倫丁是一個怎麼樣的人？
　　①貪心愛錢的人　　②無奈可憐的人
　　③知足誠信的人　　④亂花錢的人

5. (　　) 為什麼有航空公司要請瓦倫丁去當空服員呢？
　　①因為被他的誠實感動
　　②因為他很有禮貌
　　③因為他很省錢
　　④因為他很可憐

句句有型——連接詞「令… 的是… 」

✏️ 小朋友，我們今天要學「令…的是…」的選擇連接詞，當你讀懂連接詞，更能看懂句子喔！

令哈里斯<u>感到尷尬</u>的是，錢包裡沒有錢。

↑令有「使得」、「讓…怎麼樣」的意思，後接被影響的人或動物所產生的感覺

---

1. 請將「令…，的是…」填進句子裡，然後自己唸一次。

①（　　）人開心（　　　），今天可以放假。

②（　　）妹妹難過（　　　），她的寵物死掉了。

③（　　）人肥胖（　　　），過量飲食。

④（　　）老師失望（　　　），小明今天又沒交作業了。

2. 請勾選最適合的答案，完成句子。

✏️ 令老闆感到失望的是，　　□ 沒人想買新產品。

　　　　　　　　　　　　　　□ 新產品很受歡迎。

✏️ 令經理忍不住生氣的是，　□ 員工天天遲到。

　　　　　　　　　　　　　　□ 員工準時上班。

✏️ □ 令東東緊張的是，　　　他忘記寫功課了。

　　□ 令東東開心的是

1、母子連心

◎**文章結構**
起因：1∨
經過：4、1、2、5、3
結果：過世

◎**生字學習**
醫：醫，醫，医、殳、酉，醫，醫
醒：醒，醒，酉、星，醒，醒
握：握，握，扌、屋，握，握
搖：搖，搖，扌、夕、缶，搖，搖
挖：挖，挖，扌、穴、乙，挖，挖
墓：墓，墓，莫、土，墓，墓
埋：埋，埋，土、里，埋，埋

◎**語詞學習**
1.安慰　2.急救　3.仰躺　4.昏迷不醒
5.埋葬　6.側躺

1.滿頭冷汗　2.昏迷不醒　3.側躺
4.急救　5.安慰

◎**語詞複習**

◎**閱讀理解**
1.(2)　2.(1)　3.(3)　4.(3)　5.(4)
◎**寫作訓練**
1.　、　、　
2.　、　、　
3.　？
4.　，　？
5.　，　、　、　。

6.　、　、　。

2、博愛座

◎**文章結構**
起因：2∨
經過：3、1、2
結果：大媽

◎**生字學習**
讓：讓，讓，言、襄，讓，讓
嚷：嚷，嚷，口、襄，嚷，嚷
體：體，體，骨、豊，體，體
禮：禮，禮，礻、曲、豆，禮，禮
痛：痛，痛，疒、甬，痛，痛
疲：疲，疲，疒、皮，疲，疲
罩：罩，罩，罒、卓，罩，罩
置：置，置，罒、直，置，置

◎**語詞學習**
1.尷尬　2.優先　3.即使　4.尖峰
5.設置
1.設置　2.即使　3.尖峰　4.優先

◎**語詞複習**

◎**閱讀理解**
1.(3)　2.(1)　3.(2)　4.(2)
◎ **詞彙大拼盤**
1.立刻、一溜煙、繼續
2.頭髮斑白、尖峰、尷尬、疲累、吵雜
3.睜開、埋葬、大嚷、設置

144

3、快樂兒童餐

◎文章結構
起因：1∨
問題：2∨
解決：213
◎生字學習
食：食，食，食，食，食
餐：餐，餐，夕、又、食，餐，餐
童：童，童，立、里，童，童
鐘：鐘，鐘，金、里，鐘，鐘
哭：哭，哭，口、犬，哭，哭
淚：淚，淚，氵、戶、犬，淚，淚
歎：歎，歎，兼、欠，歎，歎
歡：歡，歡，卝、口、口、隹、欠，
　　歡，歡
◎語詞學習
1.夢幻　2.充滿　3.只有　4.關心
5.趕緊

1.充滿　2.已經　3.趕緊　4.只有
5.關心
◎語詞複習

◎閱讀理解
1.(2)　2.(4)　3.(2)　4.(4)　5.(3)
◎寫作訓練
1.和朋友玩的時候
2.東西被用壞的時候
3.做錯事的時候

4.被罵的時候

4、我比賽就是為了錢

◎文章結構
起因：1∨
經過：312564
結果：痊癒了
◎生字學習
檢：檢，檢，木、僉，檢，檢
險：險，險，阝、僉，險，險
裂：裂，裂，列、衣，裂，裂
烈：烈，烈，列、灬，烈，烈
瘋：瘋，瘋，疒、風，瘋，瘋
療：療，療，疒、尞，療，療
搬：搬，搬，扌、舟、殳，搬，搬
捐：捐，捐，扌、口、月，捐，捐
◎語詞學習
1.應該　2.雖然　3.然後　4.突然
5.仍然

1.突然　2.然後　3.應該　4.雖然
5.仍然
◎語詞複習

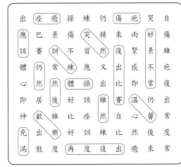

◎閱讀理解
1.(3)　2.(2)　3.(2)　4.(2)

5.不會，因為她的兒子已經痊癒了。
6.偉大，她為了治好兒子的病一直參加比賽。

◎句句有型
1.只要，就
2.

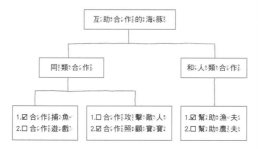

只要開心、有禮貌　　就可以把鋼琴彈好
只要認真上課　　　　就會到處受歡迎
只要多加練習　　　　就能聽懂課文重點

3.只要繼續努力，
就一定可以成功。

5、互助合作的海豚

◎文章結構

互助合作的海豚
├─ 同類合作
│   ├─ 1.☑合作捕魚
│   │   2.□合作遊戲
│   └─ 1.□合作攻擊敵人
│   2.☑合作照顧寶寶
└─ 和人類合作
    └─ 1.☑幫助漁夫
        2.□幫助農夫

◎生字學習
覓：覓，覓，爫、見，覓，覓
觀：觀，觀，卝、口、口、隹、見，觀，觀
網：網，網，糸、岡，網，網
納：納，納，糸、內，納，納
混：混，混，氵、曰、比，混，混
濁：濁，濁，氵、蜀，濁，濁
獲：獲，獲，犭、卝、隻，獲，獲
護：護，護，言、卝、隹，護，護
◎語詞學習
1.群體　2.分工合作　3.覓食
4.合夥　5.此起彼落　6.遷徙
7.數以千計　8.成群結隊
1.群體
2.成群結隊
3.分工合作
4.合夥
5.此起彼落
◎語詞複習

◎閱讀理解
1.(1)　2.(1)　3.(4)　4.(4)　5.(2)
◎句句有型
1.既，又
2.①☑又愛哭
　②☑又帥氣
　③☑又貪心
　④☑又危險
　⑤☑又刺激
3.女演員既美麗又很有氣質。

6、寶特瓶做的衣服

◎文章結構
回收歷程：2413
再利用：紗線、布料

◎生字學習
環：環，環，王、睘，環，環
還：還，還，辶、睘，還，還
粒：粒，粒，米、立，粒，粒
料：料，料，米、斗，料，料
紗：紗，紗，糸、少，紗，紗
絲：絲，絲，糸、糸，絲，絲
織：織，織，糸、音、戈，織，織
約：約，約，糸、勺，約，約
◎語詞學習
1.體積　2.垃圾　3.去除　4.分類
5.用途　6.紗線　7.紡織　8.柔軟的

1.分類　2.垃圾　3.體積　4.去除

◎語詞複習

◎閱讀理解
1.(3)　2.(1)　3.(4)　4.(3)　5.(1)
6.(3)
◎寫作訓練
1.　：
2.　：　「　」
3.　：　「　」
4.　：

7、鳥兒不怕辣

◎文章結構

（複選）	（複選）
1.□嘴裡著火	1.□很享受
2.☑滿頭大汗	2.□拉肚子
3.很享受	3.☑幫助傳播種子
4.□嘴唇腫	

◎生字學習
散：散，散，廿、月、攵，散，散
敏：敏，敏，每、攵，敏，敏
順：順，順，川、頁，順，順
預：預，預，予、頁，預，預
類：類，類，米、犬、頁，類，類
題：題，題，是、頁，題，題
移：移，移，禾、多，移，移
科：科，科，禾、斗，科，科
◎語詞學習
1.滿頭大汗　2.好過癮　3.移動
4.消化　5.敏感　6.愛不釋手
7.奇妙

1.滿頭大汗　2.好過癮　3.消化
4.奇妙

◎語詞複習

◎閱讀理解
1.(3)　2.(4)　3.(1)　4.(3)　5.(2)
◎神奇化妝術
練習一

練習二
1.☑怒吼
2.☑唱歌

8、複製長毛象

◎文章結構

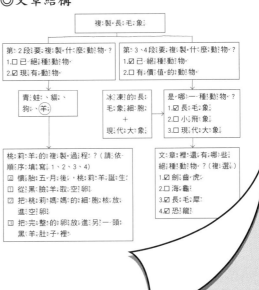

◎生字學習
想：想，想，相、心，想，想
箱：箱，箱，竹、相，箱，箱
棒：棒，棒，木、奉，棒，棒
樣：樣，樣，木、羊、永，樣
模：模，模，木、莫，模，模
挖：挖，挖，手、穴、乙，挖，挖
技：技，技，手、支，技，技
掉：掉，掉，手、卓，掉，掉
◎語詞學習
1.複製　2.一模一樣　3.絕種的動物
4.保存　5.夥伴

1.一模一樣　2.複製　3.夥伴
◎語詞複習

◎閱讀理解
1.(2)　2.(3)　3.(3)　4.(3)　5.(2)
◎句句有型
1.下列哪些句子可以填入「是……還是……」的連接詞，
請打勾。
①（ ∨ ）你___哥哥，_____爸爸？
②（ ∨ ）你喜歡吃的的___西瓜，_____木瓜？
③（ ∨ ）你猜，我___姐姐，_____妹妹？
④（　）你___有心，_____把事情做好。
⑤（　）你___寫完功課，我們_____出去玩，好
　　嗎？
⑥（ ∨ ）我們今天___要打籃球，_____玩躲避球？
2.我的／炒麵／晴天

9、為梨花撐傘

◎文章結構
問題1：腐爛、果子
解決1：1∨

結果1：1∨
解決2：2∨
結果2：人力、五年
◎生字學習
蘭：蘭，蘭，艹、門、柬，蘭，蘭
爛：爛，爛，火、門、柬，爛，爛
迎：迎，迎，辶、卯，迎，迎
遮：遮，遮，辶、庶，遮，遮
翁：翁，翁，公、羽，翁，翁
膠：膠，膠，月、羽、彡，膠，膠
撐：撐，撐，扌、炭、牙，撐，撐
掛：掛，掛，扌、圭、卜，掛，掛
◎語詞學習
1.綿綿不斷　2.腐爛　3.發愁
4.靈機一動　5.耗時　6.滿布
7.贈送

1.滿布　2.綿綿不息　3.發愁
4.靈機一動　5.贈送
◎語詞複習

◎閱讀理解
1.(2)　2.(1)　3.(3)　4.(3)　5.(4)
◎辭彙大拼盤
1.開心
2.免洗筷、膠帶、小雨傘
3.消費者、梨農、農民
4.撐著、贈送、夾、綁、遮雨

10、非洲獵人的智慧

◎文章結構
問題：1∨
解決：2∨

結果：狒狒
◎生字學習
裝：裝，裝，壯、衣，裝，裝
裂：裂，裂，列、衣，裂，裂
捉：捉，捉，扌、足，捉，捉
撿：撿，撿，扌、僉，撿，撿
挖：挖，挖，扌、穴、乙，挖，挖
探：探，探，扌、冗 、木，探，探
顧：顧，顧，戶、隹、頁，顧，顧
領：領，領，令、頁，領，領
◎語詞學習
1.祕密 2.忍不住 3.一探究竟
4.齜牙咧嘴 5.津津有味 6.顧不了
7.清涼甘甜 8.於是 9.終於

1.祕密
2.忍不住
3.一探究竟
4.顧不了
5.好奇心到了極點
6.津津有味
◎語詞複習

◎閱讀理解
1.(1) 2.(3) 3.(1) 4.(2) 5.(1)
◎神奇化妝術
練習一
1.嬰兒的臉頰 — 很低落
2.今天的天氣 — 很舒爽
3.她的心情 — 好嫩
4.這位男明星 — 真帥

練習二
1.①翠綠
2.①潔白

3.②舒適
4.①欣喜若狂
5.①好奇

11、生日怎麼過？

◎文章結構
臺灣：1∨
日本：紅豆飯
韓國：海帶湯
全世界：3∨
◎生字學習
顏：顏，顏，彥、頁，顏，顏
願：願，願，原、頁，願，願
實：實，實，宀、毌、貝，實，實
則：則，則，貝、刂，則，則
財：財，財，貝、才，財，財
健：健，健，亻、建，健，健
鍵：鍵，鍵，金、建，鍵，鍵
◎語詞學習
1.少不了 2.去霉運 3.壽星
4.傳統 5.恢復體力 6.分泌

1.去霉運 2.傳統 3.壽星
4.分泌 5.恢復體力 6.少不了
◎語詞複習

◎閱讀理解
1.(1) 2.(3) 3.(4) 4.(3) 5.(4)

◎句句有型

1.因為，所以

2.☑ 我要趕快收衣服
　☑ 和同學一起努力
　☑ 喜歡半夜吃零食

3.

前因的句子		後果的句子
因為小狗很可愛，	→	所以大家都喜歡摸牠。
	•	所以牠看起來很凶。
	•	所以小孩子都不怕牠。

4.因為我踩到香蕉，所以跌倒了。

12、各國打招呼的方式

◎文章結構

日本：彎腰、彎腰

泰國：雙手合十

馬來西亞：2∨

印度：雙手合十

西藏：1∨

美國：握手、碰拳頭

法國：1∨

◎生字學習

觸：觸，觸，角、蜀，觸，觸

解：解，解，角、刀、牛，解，解

掌：掌，掌，尚、手，掌，掌

拳：拳，拳，（略），拳，拳

界：界，界，田、介，界，界

男：男，男，田、力，男，男

尊：尊，尊，酋、寸，尊，尊

辱：辱，辱，辰、寸，辱，辱

◎語詞學習

1.尊敬　2.侮辱　3.碰觸　4.特殊
5.其實　6.普遍　7.走訪

1.走訪　2.碰觸　3.特殊　4.尊敬

◎語詞複習

家	其	雙	特	分	其	走	家	心
又	尊	處	去	泌	實	去	雙	異
即	十	敬	柔	以	我	介	手	有
普	入	觸	疏	國	家	自	合	問
遍	紡	侮	辱	經	老	傳	紡	暈
心	軟	走	心	分	了	訪	涙	圈
十	的	織	訪	遍	去	途	許	願
手	自	我	介	紹	異	敬	霉	運
解	手	自	我	介	紹	尊	碰	觸
						星		嗅

◎閱讀理解

1.(2)　2.(4)　3.(3)　4.(3)　5.(1)

◎寫作訓練

1. 、 、

2. ！ ！

3. 、

4. 、

5. ！

6. ！

7. 、 、 　！

13、全世界的第一名

◎文章結構

事件：奧運游泳

經過-比賽前：一定辦得到

經過-比賽時：筋疲力竭

結果：1∨

◎生字學習

爆：爆，爆，火、暴，爆，爆

炸：炸，炸，火、乍，炸，炸

偷：偷，偷，亻、俞，偷，偷

越：越，越，走、戉，越，越

轉：轉，轉，車、專，轉，轉

傳：傳，傳，亻、專，傳，傳

臂：臂，臂，辟、月，臂，臂

筋：筋，筋，竹、肋，筋，筋

◎語詞學習

1.四面八方　2.練習　3.精神　4.似乎
5.模仿

1.四面八方　2.似乎　3.筋疲力竭

4.精神
◎語詞複習

◎閱讀理解
1.(1)　2.(3)　3.(2)　4.(2)
5.有毅力，他雖然很累很累，還是游完了。
◎神奇化妝術
☑1.他骨瘦如柴，風一吹就會把他吹走。
☑3.我好餓！我覺得我可以吃下一頭牛。
機關槍／下山

14、誠信是珍貴的寶藏
◎文章結構
經過：2、1、4、3、5
結果：六千美元、聘請
迴響：誠實守信
◎生字學習
零：零，零，雨、令，零，零
露：露，露，雨、路，露，露
雙：雙，雙，隹、隹、又，雙，雙
刷：刷，刷，尸、巾、刂，刷，刷
刊：刊，刊，干、刂，刊，刊
檢：檢，檢，木、僉、牙，檢，檢
臉：臉，臉，月、僉，臉，臉
◎語詞學習
1.尷尬　2.小心翼翼　3.不假思索
4.躊躇　5.無奈　6.食不下嚥

1.不假思索　2.尷尬　3.小心翼翼

4.食不下嚥　5.無奈
◎語詞複習

◎閱讀理解
1.(4)　2.(2)　3.(3)　4.(3)　5.(1)
◎句句有型
1.令／的是
　令／的是
　令／的是
　令／的是
2.☑沒人想買新產品
　☑員工天天遲到
　☑令東東緊張的是

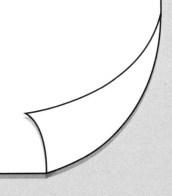

晨讀 10 分鐘系列 036

[小學生] 晨讀**10**分鐘

漫畫語文故事集
訊息文本篇【練習本】

作者｜曾世杰、陳淑麗、蘇春華、賴琤瑛
漫畫｜章1、5、6、7、8、9、10、11、12、14 呂家豪；
　　　章2、3、4、13 胡覺隆；封面及其餘插圖林家蓁

責任編輯｜李幼婷
封面、版面設計｜林家蓁
電腦排版｜中原造像股份有限公司
行銷企劃｜葉怡伶

天下雜誌群創辦人｜殷允芃
董事長兼執行長｜何琦瑜
兒童產品事業群
副總經理｜林彥傑
總編輯｜林欣靜
主編｜李幼婷
版權主任｜何晨瑋、黃微真

出版者｜親子天下股份有限公司
地址｜台北市 104 建國北路一段 96 號 4 樓
電話｜（02）2509-2800　傳真｜（02）2509-2462
網址｜www.parenting.com.tw
讀者服務專線｜（02）2662-0332　　週一～週五：09:00~17:30
讀者服務傳真｜（02）2662-6048
客服信箱｜parenting@cw.com.tw
法律顧問｜台英國際商務法律事務所‧羅明通律師
製版印刷｜中原造像股份有限公司
總經銷｜大和圖書有限公司　　電話：（02）8990-2588

出版日期｜2020年 6 月第一版第一次印行
　　　　　2022年10月第一版第六次印行
定價｜200元
書號｜BKKCI013P
EAN｜4717211027578

訂購服務───────────────────
親子天下 Shopping｜shopping.parenting.com.tw
海外‧大量訂購｜parenting@cw.com.tw
書香花園｜台北市建國北路二段 6 巷 11 號　　電話｜（02）2506-1635
劃撥帳號｜50331356 親子天下股份有限公司

立即購買＞